D1507923

LE PÈRE DE LISA

Photo de la couverture: Maryse Raymond
Conception graphique de la couverture: Katherine Sapon
Mannequins: Tina Bellifante, de l'agence Beauties
              Maurice Paquin
Photo de l'auteur: Paul Bruneau

LES QUINZE, ÉDITEUR
(Division de Sogides Ltée)
955, rue Amherst, Montréal
H2L 3K4
tél.: (514) 523-1182

Distributeur exclusif pour le Canada:
AGENCE DE DISTRIBUTION POPULAIRE INC.
(Fiiiale de Sogides Ltée)
955, rue Amherst, Montréal
H2L 3K4
tél.: (514) 523-1182

LE PÈRE DE LISA

JOSÉ FRÉCHETTE

ROMAN

Quinze

Données de catalogage avant publication (Canada)

Fréchette, José, 1954 -

   Le père de Lisa

   ISBN 2-89026-365-7

   I. Titre.

PS8561.R42P47 1987   C843'.54   C87-096402-X
PS9561.R42P47 1987
PQ3919.2.F73P47 1987

Copyright 1987, Les Quinze, éditeur
Dépot légal — 3e trimestre 1987
Bibliothèque nationale du Québec
ISBN 2-89026-365-7

Tous droits de reproduction, d'adaptation ou de traduction
réservés.

Merci à Véronique Dassas
et à Carole Fréchette

Avec toute ma tendresse pour Paul

I'm sick of sitting 'round here trying to write
this book
I need a love reaction
come on baby, gimme just one look.

Bruce Springsteen

1

Le plus merveilleux avec les souvenirs c'est qu'on n'est jamais totalement certain d'en vivre un. Je veux dire, au moment précis où on le vit. On ne sait pas. On ne sait jamais ce qui va rester et c'est seulement plus tard qu'on comprend, émerveillé, qu'on n'a rien oublié. C'est exactement ainsi que les choses se sont passées avec Lisa, ou du moins, lors de ma première rencontre avec elle, rencontre qu'à l'époque j'aurais qualifiée de tout à fait oubliable. C'est pour dire combien, en ce matin de tempête, j'étais très loin — vraiment aux antipodes — de penser qu'une nuit, beaucoup plus tard, je m'assoirais avec juste assez de lumière et d'émotion pour raconter ce que je vais raconter.

Parce que je n'ai rien oublié. Je n'ai *absolument*

rien oublié de ma première rencontre avec Lisa. Même aujourd'hui, même en ce moment, j'aurais pour en parler le réflexe timide de remonter mon collet. Il faut dire que c'est très exactement ce que Lisa m'avait commandé de faire alors qu'encore étrangères nous attendions l'autobus sous trois milliards de tonnes de neige. Et c'est ce que j'avais fait. J'avais relevé mon collet. D'ailleurs, considérant son remarquable pouvoir de persuasion, je serais à peine surprise d'apprendre que vous venez de remonter le vôtre. Lisa était du genre à faire facilement remonter ou descendre un collet. C'est une des choses que je tiens à dire à son sujet. Elle avait un don pour les collets.

Si j'insiste sur ce fait c'est que, dès mon entrée dans l'autobus, suivie de près par Lisa, je l'entendis, bousculant au passage ceux qui désespérément tentaient de l'enjamber pour atterrir sur le trottoir, je l'entendis donc me préciser avec sa voix de majordome que je pouvais maintenant le redescendre, ce que je fis instantanément avec, dans le geste, juste assez de confiance aveugle pour me rappeler, l'espace d'une seconde, l'enfant que j'avais été et la mère à qui j'avais appartenu et appartenais toujours. Et si le fait que Lisa, par des couloirs mystérieux, en arriva, dans cet autobus, à me rappeler ma mère, si cette nouvelle ne vous a pas encore foudroyés, laissez-moi seulement ajouter qu'exactement cinquante-quatre ans les séparaient l'une de l'autre et que, des

12

deux, Lisa était celle qui en avait neuf. Ou plutôt, comme elle le dirait, qui allait en avoir dix.

C'est sur ces considérations maternelles que je poursuivis mon chemin dans l'autobus traînant derrière moi un cartable initialement conçu pour le transport d'une fresque médiévale. Je n'avais nullement l'intention d'en transporter une ou rien, mais ma sœur Évelyne avait vu dans ce cartable — Dieu sait pourquoi — le cadeau idéal pour mes vingt-six ans. Et j'imagine qu'on pourrait dire que c'est par amour pour elle, pour ma sœur Évelyne, que je traînais depuis deux ans un cartable grand comme ma salle de bain. Ce qui donne en passant une idée sur ma façon d'aimer les gens quand, par hasard, je me mets à les aimer.

Mais ce n'est pas pour parler de ma sœur Évelyne que je parle d'elle, mais pour expliquer comment j'avais ce matin-là — comme tous les matins depuis deux ans — passé le trajet du premier à l'avant-dernier banc à me répandre en excuses pour le cartable et tout. J'avais totalement oublié l'incident du collet quand, épuisée, je réussis à m'asseoir plus ou moins confortablement, le cartable sur les genoux.

Avec le givre sur la vitre, on voyait très peu les choses de la rue et on ne pouvait pas vraiment dire que je regardais dehors quand Lisa est venue s'asseoir. En fait, je regardais la fenêtre elle-même et la neige qui s'était collée sur le rebord en métal. J'imagine — bien que mes souvenirs sur ce point soient beaucoup moins fracassants — que je poussai la neige avec mes gants. Il y a des gestes comme ça qu'on fait toujours: donnez-moi une paire de gants et une fenêtre enneigée et je vous dirai, les yeux fermés, la fin du film. Je nettoyais donc vraisemblablement la vitre quand Lisa, de sa main gauche, essuya énergiquement le banc et s'assit tout à fait droite à mes côtés. Et c'est ainsi que de profil, pour la première fois, je l'ai vraiment regardée.

Si quelqu'un veut parler du profil de Lisa, je veux dire si quelqu'un voulait en parler et absolument tout dire avant que le train parte, je pense qu'une fois sur le marchepied et les valises dans les mains, je pense sans rire que ce quelqu'un pourrait avancer les mots de perfection humaine et partir l'esprit tranquille. Le profil de Lisa était, en toute objectivité, parfait, exactement comme si tout avait été mesuré avant d'être posé. Mais Lisa n'avait sûrement aucune idée de la perfection qu'elle traînait comme ça, de côté. Je doute d'ailleurs qu'elle fût même au courant de posséder un côté. Lisa faisait toujours les choses de face, même celles qu'on peut faire sans regarder, même celles qu'on fait dans n'importe quelle position. Lisa les faisait toujours de face.

Par exemple, la radio. Lisa ne pouvait écouter la radio que si cette dernière était placée exactement entre ses deux yeux, à plus ou moins deux pieds et en ligne directe. J'ai moi-même été témoin d'un impressionnant déplacement de bibelots et d'appareils ménagers entrepris un soir par Lisa, dans le seul but d'être assise en face de l'appareil pour écouter l'entrevue radiophonique de Madame Ludowsky, professeur de catéchèse qui, pour des raisons obscures, s'intéressait également à l'économie rurale dans les pays de l'Est. Tout à fait face à la radio, Lisa écouta donc sans broncher l'énumération des quarante-trois types de céréales et l'état actuel des cultures dans la région de l'Oural. Et ce n'est qu'après, une fois le thème de l'émission entamé, qu'elle se tourna vers moi — avec ici le déplacement inévitable de la tête — et qu'elle déclara que Madame Ludowsky était décidément beaucoup plus féminine quand il s'agissait de raconter la vie de Bernadette Soubirous. Car pour Lisa, l'univers s'arrêtait pile sur la distinction entre le féminin et le reste. Elle pouvait absolument tout classifier en ces termes et ne se gênait d'ailleurs pas pour le faire, avec cette sorte de certitude qu'on accorde généralement aux papes. Vraiment, Lisa pouvait statuer sur la féminité de n'importe quoi. C'est ainsi que j'appris, à vingt-huit ans, que le navet est un légume beaucoup moins féminin que le chou-fleur et qu'en cas de doute, une dame peut toujours se reposer sur le turquoise pour sa lingerie personnelle.

J'imagine qu'à la lueur de cette information, la réaction de Lisa à la nouvelle que j'étais primatologue et passais exotiquement mes journées en compagnie de quatre chimpanzés, j'imagine que sa façon de laisser tomber les mots *pas très féminin* ne vous

15

étonnera pas plus qu'il faut. Mais il faut se reporter à ce premier matin dans l'autobus quand, sûre de mon effet, je lançai négligemment l'histoire des chimpanzés, en attendant secrètement quarante-trois mille questions enthousiastes. En fait, je reçus en retour une sorte de douche froide de la féminité. N'importe qui aurait été froissé. Et parce que justement je l'étais, je me retournai vers la fenêtre, regardant passionnément tout ce que je ne pouvais absolument pas voir — à cause du givre et tout.

C'est ici que le cartable de ma soeur Évelyne entre en scène une deuxième fois. En plus de ses proportions gigantesques, il était d'un gris mauve tout à fait personnel qu'on pouvait très certainement regarder des heures sans jamais risquer de tomber sur une quelconque ressemblance avec la couleur normale des choses terrestres. C'est du moins ce dont j'étais convaincue jusqu'au moment où Lisa très excitée m'annonça en me tapant sur l'épaule que le divan de son salon était tout à fait de ce même gris lunaire. Du coup, j'oubliai ma passion passagère pour la fenêtre et me tournai carrément vers Lisa qui m'offrit alors le plus fraternel des sourires comme si, subitement, des liens immortels nous unissaient.

Et deux choses me passèrent simultanément par la tête. D'une part je me demandai qui, dans la famille de Lisa, se chargeait de la décoration intérieure. D'autre part, mais tout à fait en même temps, mon coeur s'arrêta net à la vue de l'architecture désastreuse de la dentition de Lisa, dentition que son sourire fracassant venait de révéler et qui, à mes yeux, ne pouvait tenir que de l'erreur géodésique. Jamais auparavant, et jamais plus depuis, une dentition ne m'apparut à ce point sans direction générale ou consensus minimum et, mis à part le fait qu'elles partaient des gencives, les dents de Lisa s'apparentaient de très loin au jovial dessin accroché depuis vingt ans chez mon dentiste. C'était quand même une révélation étonnante. Je veux dire, à cause du profil si parfait et tout.

Mais, loin de m'horrifier, cette révélation m'apporta une manière de soulagement comme si, du coup, Lisa, avec ses dents abominables, venait de réintégrer l'univers imparfait mais tellement humain dont je faisais partie. Comme si la balance du partage des biens de cette terre retrouvait ainsi un semblant d'équilibre et que, pour une fraction de seconde, j'avais — aussi vrai que je vous parle — posé les yeux sur la justice elle-même. Une sensation agréable, un genre d'illumination. C'est d'ailleurs pour elle, pour l'illumination, que je rendis illico son sourire à Lisa et que j'ajoutai même le coeur léger un ou deux commentaires inutiles sur la neige. À ce stade, j'avais totalement pardonné l'incident diplomatique des chimpanzés. Je tiens à le préciser parce que c'est ma façon de faire les choses. Je n'ai aucune défense contre la fragilité. Or les dents de Lisa résumaient à elles seules trois siècles de fragilité humaine. C'est une autre chose que je tiens à préciser, à cause de ses dents et tout, j'ai toujours voulu protéger Lisa. Mais bien sûr, je ne l'aurais jamais ouvertement avoué. Mon histoire de protection l'aurait sûrement fait craquer et j'en aurais eu pour des heures à l'entendre s'esclaffer devant le ridicule de ma position chevaleresque. Parce que, bon, je suis moi-même considérablement maladroite. Et jamais Lisa n'aurait pu concevoir d'être protégée par un être qui, par exemple, ne réussit pas à changer décemment le ruban d'une machine à écrire. Parce qu'à ses yeux l'opération était incroyablement facile et, considérant que la seule vue d'un ruban m'indispose, Lisa en avait tiré ses propres conclusions sur qui devait protéger qui. C'est donc sans un mot que chacune tenait son souffle pour l'autre, craignant le pire et évitant les sujets délicats tels l'infirmité locale de Lisa ou celle plus généralisée qu'elle m'accordait.

Quand, par exemple et toujours dans l'autobus, Lisa glissa entre deux informations météorologiques que, justement, elle se rendait chez l'orthodontiste et que Dieu sait à quelle heure elle y serait *because* la neige, les embouteillages et tout, je voulus à ce point la convaincre que je n'avais rien, mais absolument rien remarqué de ses dents que, l'air de rien et époussetant le coin droit de ma canadienne, je lui demandai, comme ça, le pourquoi de sa visite. Comme si son sourire ne justifiait pas à lui seul quatre décennies de rendez-vous. En retour, Lisa fit quelque chose de remarquable. Elle me répondit. Et sa réponse, quoique largement embarrassante pour elle, fut tout ce qu'il y a de plus honnête et de nature à informer la personne que j'étais et qui apparemment n'était pas au fait de la dentisterie moderne. Elle termina son exposé sur un soupir discret, refermant les lèvres sur le sujet et posant un de ses regards italiens quelque part en haut de mon épaule gauche, sur une annonce ou Dieu sait quoi. Il faut dire que Lisa était italienne et que si elle l'était de partout, elle l'était surtout des yeux. C'était dans leur manière d'être noirs et brillants. D'ailleurs, elle s'appelait Lisa Di Bello Sbarba et j'imagine qu'avec un nom pareil, on ne peut avoir que ce genre de regards. Le genre italien.

C'est donc ainsi qu'elle regardait l'annonce et on pourrait dire que je la regardai la regarder pendant un moment, m'adonnant secrètement au jeu idiot de lui faire mentalement ouvrir la bouche et refermer et rouvrir et ainsi de suite, fascinée par les deux Lisa et l'écart gigantesque qui les séparait. Au cours d'une de ces transformations, je remarquai pour la première fois les perles à ses oreilles, minuscules, au point que je me passai la remarque qu'elle devait vraisemblablement les porter depuis sa très petite enfance, à l'époque où ses oreilles étaient elles-mêmes minuscules. L'image de Lisa bébé et perlée me fit sourire, trouvant l'idée de ses parents ridicule. Mais après tout, il y avait une certaine cohérence entre les perles et la couleur choisie pour l'ameublement du salon. Je veux dire que les parents de Lisa devaient être de *ce* genre. J'en restai là dans mes conclusions, cherchant quelque chose d'autre à quoi penser, ou n'importe quoi pour passer le temps. L'autobus en profita pour s'immobiliser subitement et notre chauffeur descendit dans la rue, laissant les quarante mille passagers et moi-même dans le plus profond des mystères.

Bien sûr, Lisa voulut instantanément ouvrir la fenêtre, prête à faire le reportage du siècle, le collet déjà remonté pour affronter la neige que le vent allait inévitablement pousser à l'intérieur. Et, bien que je n'eus aucune intention de l'ouvrir, je fis pour la forme quelques pressions sur la vitre ce qui força Lisa à me coller sur le banc et à entreprendre elle-même l'opération, poussant, tirant, pour réussir à ouvrir suffisamment la fenêtre et y passer la tête. La première remarque qu'elle fit alors, sa première remarque à moitié étouffée par le bruit de la rue, m'alla directement au coeur. Une fois la tête dans la neige, elle me cria que ce n'était certainement pas une journée à mettre un singe dehors. Je suis parfaitement certaine d'avoir bien entendu car c'était tout à fait sa façon à elle d'être gentille. Vraiment. L'histoire de changer un chien en singe, c'était tout à fait Lisa.

Quand, l'été suivant, elle me surprit les pieds dans un lavabo d'une salle de réception, elle fut à ce point gênée pour moi, pour mon manque d'étiquette et de féminité, que sans dire un mot elle se déchaussa et vint s'asseoir à mes côtés, espérant qu'à deux dans le lavabo nous laisserions l'impression civilisée de nous adonner à une coutume asiatique. C'était un code. Il suffisait de comprendre.

Et j'allais justement lui indiquer que sa remarque concernant directement mes chimpanzés m'avait grandement touchée quand Lisa, déjà la tête ailleurs, entreprit une description détaillée de la situation extérieure qui, selon ses termes, frisait la catastrophe. En fait, ce n'était rien de plus qu'un conducteur maladroit qui avait réussi un tour complet sur lui-même et s'était arrêté net, bloqué au beau milieu de la rue avec sa voiture, pétrifié comme la femme de Loth à qui — on s'en souvient — le bon Dieu passa le sel une fois pour toutes. Notre chauffeur, en tapant sur le pare-brise de la réincarnation biblique, tentait de persuader l'individu de passer au verset suivant.

Quant à moi, j'avais perdu tout intérêt pour l'incident, me contentant de pousser de la main droite la neige qui s'accumulait sur mon genou. Comme j'avais le manteau de Lisa juste en face, j'eus amplement le temps d'évaluer l'épaisseur du matelassé et réalisai que ce qui était dessous devait être beaucoup plus petit qu'il n'y paraissait. Une fois le manteau enlevé, Lisa devait être une enfant plus légère que la moyenne et le genre à se faire soulever très facilement. Non pas que je l'aie personnellement soulevée ou rien. En fait, je n'ai pratiquement jamais touché

Lisa pour la prendre dans mes bras ou n'importe quoi d'aussi intime. Nous avions, elle et moi, l'intimité plus discrète.

Par contre, je me souviens très bien d'un soir où le père de Lisa l'avait transportée du camion à sa chambre sans même la réveiller. Et je me rappelle aussi qu'en les suivant comme ça dans l'escalier, un genre de jalousie m'était tombé dessus parce que j'avais de fait largement dépassé et l'âge et le poids pour qu'un homme me transporte aussi paternellement sur trois étages. On aurait dit qu'il la portait par en dedans.

En attendant j'avais le foutu manteau de trois mille épaisseurs à deux doigts des yeux quand Lisa déclara l'incident clos, et invita d'un geste impatient le chauffeur à réintégrer notre véhicule. Ce n'est qu'une fois le moteur reparti qu'elle se rassit, secouant énergiquement sa tuque dans l'allée et s'excusant au passage pour le semblant de tempête interne ainsi créé. Pendant qu'elle secouait, je pus pour une seconde fois observer le très parfait profil de Lisa.

Ce n'était pas surtout la beauté des traits mais plutôt leur incroyable régularité qui me touchait. Une régularité qui donnait terriblement le goût de descendre en douce des cheveux courts et frisés au menton légèrement creusé par le milieu. Un peu, j'imagine, comme on le ferait à une statue ou à n'importe quoi de très immobile. Et c'est précisément ce qu'un soir d'été je dirai à Lisa. Je lui dirai, comme ça, qu'elle ferait une très belle statue dans un parc. Mais bon, il se trouve qu'à l'heure actuelle Lisa est très loin des parcs et des pigeons.

C'est tout de même à eux, les pigeons, que je pensais quand Lisa remit sa tuque et, seulement pour faire la conversation, retomba dans le gris lunaire de mon cartable et de son salon. J'appris ainsi que le frère de son père, grossiste en ameublement, était le véritable responsable de la décoration chez elle. Il s'appelait Mimmo et avait été le premier à s'importer d'Italie. Et je dis bien importer, et non émigrer. Parce que Lisa parlait ainsi de sa famille. Importés qu'ils étaient, comme une boîte de chocolats Perugina. Le deuxième chocolat à atterrir à Montréal fut Paolo. Et, un peu plus tard, le père de Lisa lui-même s'était amené avec ses vingt ans et une seule chose à déclarer à la douane: *fa freddo icitte.*

Puis, comme si avec l'arrivée de son père tout avait été dit sur l'import-export international, Lisa sortit de son sac un livre et se mit à babiller quelque chose qui, à mes oreilles, sonnait comme Bobinette sur une forte dose d'amphétamines. Elle déboulait l'histoire à une vitesse hallucinante, sautant d'une page à l'autre comme une puce sur un chat miteux. Et c'est pour m'éviter ce cours de lecture accélérée que je pris, de mon côté, le récent numéro du *World of Primates* et m'absorbai, pour un temps, sur le rôle de l'olfaction dans les rencontres amoureuses au sein d'une colonie de macaques japonais.

J'aurais continué ainsi longtemps si un autre détail n'avait soudainement accroché mon attention. Lisa sentait la boule à mites. Très discrètement mais indiscutablement. Comme les dix milliards d'objets en laine qui m'avaient enveloppé l'enfance jusqu'au jour où, Dieu sait pourquoi, les boules ou les mites elles-mêmes disparurent de la maison et l'odeur de la naphtaline de ma vie. Donc, quelque peu nostalgique, je continuais à respirer et respirais jusqu'à ce qu'une dernière intervention de Lisa vienne cette fois me couper totalement le souffle.

Elle avait sorti de son sac un crayon et un minuscule carnet à couverture rouge et voilà qu'elle me demandait mon numéro de téléphone pour pouvoir — je répète ici fidèlement ses mots — entretenir notre relation. Je restais complètement muette, cherchant une excuse pour que rien au monde, et surtout pas notre relation, ne soit entretenu. Mais, voilà, prise de court, et craignant de la blesser, je laissai tomber à voix basse les chiffres que Lisa me fit répéter, et pour être tout à fait certaine d'avoir bien entendu, les répéta elle-même sur un registre qui, je suis sûre, permit à l'autobus entier de bien noter.

Non seulement je lui donnai mon numéro mais j'acceptai, soumise, la page arrachée qu'elle venait de plier en quatre et sur laquelle apparaissaient dans cet ordre, son nom, son âge et son numéro de téléphone. Pour compléter le tableau, Lisa ajouta verbalement le nom de sa rue, le numéro de sa porte et, en se penchant pour tirer sur ses bas, son poids actuel. Et je suis certaine qu'elle m'aurait demandé le mien si à ce moment précis je n'avais pas atteint ma destination et m'étais donc levée en toute hâte, traînant le cartable et enjambant Lisa que je saluai rapidement, sans me tourner ou rien. Ce n'est qu'une fois sur le trottoir que je la vis par la fenêtre me faire un geste embrouillé qu'encore aujourd'hui je ne sais toujours pas interpréter. Ou Lisa m'envoyait chaleureusement la main, ou alors elle me suggérait fortement de remonter mon collet.

Je jetai son papier dans la neige un ou deux coins de rue plus loin. Et c'est sur cette image de blanc sur blanc que s'arrêtent d'eux-mêmes mes premiers souvenirs de Lisa.

2

Comme si on ne pouvait faire autrement que se revoir, je revis Lisa trois semaines plus tard dans la cabine téléphonique située au coin des rues Sherbrooke et Marlowe, dans l'ouest de la ville. Pour être tout à fait précise, je l'entendis avant de la voir puisque c'est en tapant énergiquement sur la paroi vitrée qu'elle attira mon attention sur sa personne que je reconnus sans problème, malgré la présence profondément troublante de son nouvel appareil dentaire. En raison de l'heure particulière de cette rencontre — et le soleil frappant directement dessus — le sourire de Lisa avait l'éclat d'une bouilloire. À cause du métal et tout. Lisa resplendissait.

Et l'idée qui me vint alors à la tête, ma *seule et incroyable* idée, fut que, une fois campée sur un chemin de campagne et en admettant qu'elle y passe la nuit à sourire, Lisa ferait maintenant une excellente borne routière, de celles qui réfléchissent la lumière des phares quand, par exemple, vous partez de nuit pour le Vermont. Cette image de Lisa souriant dans un tournant aux automobilistes solitaires me fit planer pendant les premières secondes de cette rencontre qui fut très brève. Vraiment, dix minutes. Quinze maximum. Et encore, on passa un moment à se parler par signes, vu la vitre qui nous séparait et tout.

Une fois son matraquage de la porte terminé, le premier signe de Lisa fut de me pointer du doigt un individu posté sur le trottoir opposé et dont l'occupation principale se résumait à un vague tapage de pieds dans un banc de neige. Et comme c'était une journée particulièrement froide, un genre d'aura glaciale troublait cosmiquement son image pendant qu'il tapait. Dans le froid intense, les gens m'apparaissent toujours emballés dans une feuille de mica. C'est comme ça. J'en étais là dans mes considérations optiques quand Lisa, pianotant sur la porte, attira soudain mon attention, en articulant — comme si j'étais sous une cloche à fromage hautement hermétique — tout à fait silencieusement les mots *mon père*. Ce n'est qu'après les présentations faites que je poussai sur la porte de ma main droite, ce que Lisa interpréta de toute évidence comme une invitation personnelle puisqu'elle pénétra sur-le-champ dans la cabine, perdant ainsi sa luminescence dentaire mais retrouvant la parole qu'elle utilisa d'ailleurs à profusion jusqu'à la fin de cette rencontre.

Les premiers mots qu'elle m'adressa en posant sur moi son regard italien firent allusion directement à l'odeur de la cabine qu'elle qualifia d'animale et même de la famille des singes. Question de ventiler un peu, elle se mit à me faire le moulin à vent, qu'on se serait cru à Marken, Hollande. Puis, et toujours avec les bras qui flip-flappaient dans l'air, elle me demanda d'étaler devant elle mes premières impressions. Or, me méprenant sur le sens de sa question et croyant devoir évaluer son nouvel appareil dentaire, je laissai tomber un définitif *brillant* et Lisa s'empressa de m'assurer que son père était effectivement l'homme le plus intelligent qu'elle connût. Pour ne pas la blesser, je fis exactement comme si j'en avais toujours été convaincue et la laissai s'emballer sur les extraordinaires capacités mathématiques de son père qui — mais je l'ai réalisé plus tard seulement — était de fait presque aussi brillant que la partie métallique de sa fille.

Toujours en position d'envol, Lisa, pour me mesurer à lui ou quelque chose, improvisa alors un genre d'exercice de calcul mental qu'elle nommait d'ailleurs — Dieu sait pourquoi — spirituel. Elle improvisa donc une suite de trois additions et une soustraction que je devais faire tout à fait *spirituellement*. De son côté elle allait sur papier vérifier mes résultats. Elle m'invita donc à me retourner pendant qu'elle sortait de sa poche un crayon de plomb et un papier qu'elle déplia avec soin, interrompant ainsi temporairement le service de ventilation. Je ne pus donc que re-regarder le père de Lisa que j'avais sous les yeux. Je ne fis même que ça. Je regardai le père de Lisa.

Il avait stoppé son tapage de pieds pour contempler très sérieusement le pneu arrière d'un camion de livraison. Il fixait l'objet comme si le caoutchouc lui-même était sur le point de lui révéler au bas mot le secret de l'existence. Il avait placé ses mains de chaque côté de sa tête pour se réchauffer les oreilles. Bien que ce fût de toute évidence un homme — c'était, après tout, le père de Lisa — on aurait pu facilement le prendre pour un très jeune homme. Un très jeune homme italien.

Il avait pour lui les mêmes évidences italiennes que sa fille. C'était sur lui comme un drapeau. Sans en faire une fontaine de Trevi, j'irais même jusqu'à avancer qu'il résumait à lui seul, et sans se forcer, les quarante millions d'Italiens que j'avais jusqu'à ce jour plus ou moins intimement connus. C'est donc devant une foule de Tony que je devais en principe m'adonner à ma spiritualité mathématique, perdant constamment le fil à cause du cargo de souvenirs en face.

Évidemment, une fois mon temps écoulé, je n'avais absolument pas terminé l'exercice, et, bébête, je pensai à un chiffre au hasard et le répétai à Lisa qui avait pris soin entre-temps de me remettre en position de départ. Ma réponse, ma très fausse réponse eut pour effet de plonger Lisa dans la plus désolante consternation et, dans un murmure, elle se passa la remarque qu'on pouvait bien me faire travailler dans une jungle. Ce qui fatalement lui rappela l'odeur de la cabine et voilà qu'elle se remit à balayer l'air de ses mains qu'elle avait par ailleurs très délicates. Très, très délicates.

Lisa pouvait, et pouvait même très facilement placer ses deux mains dans une seule poche d'une chemise de son père. C'est dire qu'elles étaient microscopiques. Vraiment, un mouchoir plié en quatre. Je ne pouvais que craquer devant ses demi-mesures de mains. Et je parierais ma mère que si Lisa était ici ce soir et si elle les posait comme ça sur ma table, ses mains me feraient encore une fois leur truc de charme. Je sais aussi que les mots *Chatanooga Choo Choo Train* me viendraient forcément à la tête.

Et si le lien entre cette chanson *hyper swing* et les mains de Lisa, si *ce* lien ne vous a pas encore frappé de plein front, c'est que vous n'étiez pas de toute évidence assis sur la dernière marche du Sainte-Rose Lounge, le 14 juillet 1984. Au moment où Lisa et moi avions inventé de toutes pièces un jeu hautement inoffensif et dont la seule règle consistait à faire passer tchou-tchou le plus grand nombre de fourmis sous la main de Lisa comme un train sous un tunnel. Elle avait insisté pour baptiser l'activité, et j'avais proposé, comme ça, *Chatanooga Choo Choo Train*, acceptant même de lui fredonner quelques mesures même si je chante plus faux qu'un plombier et que, de fait, ma version semblait sortir directement du chien sur l'étiquette du disque plutôt que des soeurs Andrews elles-mêmes. Mais bon, c'est tout de même ainsi que les mains de Lisa furent irréversiblement liées au train pour Chatanooga.

Si elle était ici ce soir, Lisa aurait probablement entamé d'elle-même, et dans sa voix de clairon, le refrain des petites soeurs Andrews. C'est donc avec ce genre de musique de fond qu'il faut imaginer notre deuxième rencontre.

À la suite de mon échec fulgurant en mathématique, Lisa s'était mise à faire exactement comme si j'avais trente-huit de quotient intellectuel. Avec une indulgence remarquable, elle prit le temps de m'expliquer, avec des airs de conspiration, qu'elle possédait maintenant un appareil dentaire. Et pour être tout à fait certaine que j'avais bien compris, elle me prit les doigts et me les fit passer sur l'appareil en question, les yeux plantés dans les miens, avec le sérieux qu'on attendrait d'une visite guidée dans la grotte de Lascaux. Or, ne mettant personnellement que très rarement mes doigts dans la bouche des gens, cette inspection buccale me fit la plus grande des impressions. D'ailleurs, ce n'est qu'après les avoir essuyés, je veux dire essuyé mes doigts sur la manche gauche de mon manteau, que je réussis à lui murmurer merci pour la mouillante attention et tout. À partir de là, ma relation avec Lisa fut essentiellement modifiée. Je me mis à l'aimer.

Quand elle changea subitement sa technique d'aération et se mit à ouvrir et fermer la porte au rythme de quarante mille mouvements à la seconde, loin d'être exaspérée par le procédé, j'adoptai moi-même un léger mouvement de l'avant à l'arrière comme pour l'aider à garder le tempo. Notre deuxième rencontre prit fin sur ce tangage ou, tout au moins, prit fin pour la première fois puisque nous connûmes une douzaine de faux départs et n'eût été du père de Lisa, je crois sincèrement que nous en serions encore là, elle à balancer la porte et moi à me balancer moi-même, trouvant toujours au dernier moment quelque chose à ajouter.

Au milieu de tous ses au revoir, Lisa trouva le moyen de m'annoncer l'arrivage de deux cents lampes sur pied chez l'oncle Mimmo, ainsi que la récente reprise de *L'Homme invisible* à la télévision anglaise ce qui subitement lui rappela, à cause des bandages ou quelque chose, la mort subite de Maria, parente éloignée du village de Gubbio et qui avait quitté ce monde écrasée par un voyage de raisins en route vers Terontola. Dieu sait ce que Lisa me raconta encore, un pied dans la cabine et l'autre sur le trottoir, attrapant ainsi juste assez de soleil pour que l'histoire de la borne routière me revienne à l'esprit et me fasse planer encore un moment. Et puis le père rappela finalement la fille par un genre de sifflement et Lisa quitta la cabine à contrecoeur.

Je la regardai traverser la rue pour rejoindre son père qui, pour la première fois, regardait nettement dans ma direction. Intimidée ou Dieu sait quoi, j'ouvris l'annuaire téléphonique à la première page et fis semblant de chercher passionnément le numéro d'un Abdallah Abba. Je cherchais encore quand, retraversant la rue en courant, Lisa risqua sa vie sur un morceau de glace et atterrit sur un sac de poubelle en bordure du trottoir, pour me faire signe de rouvrir ma porte sur-le-champ. En se balayant les bas de sa main gauche, elle m'invita officiellement à passer chez elle le soir même, soulignant que son père était tout à fait d'accord avec l'invitation. Je n'ai aucun souvenir d'avoir accepté sa proposition, mais Lisa, interprétant probablement mon silence comme un trop-plein d'émotion, se chargea d'inscrire elle-même son adresse sur le papier qui avait jadis servi à l'exercice spirituel. Pour qu'il n'y ait aucune confusion, elle prit soin d'écrire d'abord sous son adresse les mots *mon adresse*, et prise d'un dernier doute sur mes capacités de bien saisir de qui il s'agissait, elle rajouta en marge: *adresse de Lisa Di Bello Sbarba, italienne et communiste.*

Elle quitta alors la cabine pour de bon, retraversa aussi frénétiquement la rue, atterrissant cette fois sur son père à qui elle donna — comme on donne sa vie — à qui elle donna sa main droite.

Sous le coup du communisme, je suivis des yeux le père et la fille aussi loin que je pus, fascinée par leur fracassante proximité et la façon identique qu'ils avaient d'avancer dans la foule. Je veux dire, comme on aurait traversé la mer Rouge. Et cette image de Lisa et son père disparaissant dans le froid métropolitain demeure encore aujourd'hui une de mes plus troublantes représentations d'une histoire de couple. Et ce n'est qu'après qu'ils eurent tourné à droite sur Claremont, après que le rouge du manteau de Lisa eut totalement disparu derrière le mur du cinéma, que je retombai machinalement sur l'adresse et l'appartenance politique. Et bien que j'eus la certitude que Lisa n'aurait pu distinguer un communiste d'un moine bouddhiste, je l'imaginai tout de même, pour un instant, au centre de ces peintures italo-socialistes du début du siècle, avançant le poing levé, entourée de trois millions de camarades. Parce que bon, Lisa avait très certainement les yeux qu'il faut pour partir une révolution. Bien sûr, sa féminité en aurait probablement pris un coup — à cause des bottes de guérillero et tout — mais j'imagine que même là, même dans la boue, les dessous de Lisa auraient trouvé le moyen d'être turquoise.

3

J'arrivai chez Lisa à sept heures précises et montai jusqu'au premier palier où je m'arrêtai net à l'idée que Lisa devait forcément avoir une mère. Cette évidence génétique me troubla si profondément que sans faire ni une ni deux, je redescendis les vingt-quatre marches et, toujours sous le coup de la révélation, marchai fébrilement dans le froid de goulag sibérien, me tapant régulièrement dans les mains pour les réchauffer. Ce n'est qu'une fois traversée la rue Jean-Talon, qu'essoufflée je m'arrêtai devant la vitrine d'un magasin de chaussures orthopédiques et entrepris d'inventorier chacun des modèles en imaginant pour chacun d'eux le genre de pieds correspondant. Cette activité me fit, biochimiquement parlant, l'équivalent d'un Valium 5 mg. Je pus repenser à la mère de Lisa, comprenant soudainement les raisons profondes de ma fuite improvisée dans ce ghetto italien. Cette femme serait forcément jalouse de moi, de ma relation avec Lisa et tout. Question de bien délimiter les territoires, j'en arrivai à la conclusion que la *mamma* s'assoirait sur sa fille tant et aussi longtemps que je serais dans son poulailler. Et c'est précisément pour éviter la couvaison, qu'abandonnant les quarante-quatre souliers dans leur vitrine, j'entrai dans la pharmacie voisine et achetai à la mère de Lisa une boîte de chocolats qu'on m'emballa, faute de mieux, dans un papier de mariage argenté. Avec mon excuse sous le bras, je sonnai chez Lisa, ôtant de ma main libre mon chapeau de lynx très sauvage.

Les deux premiers commentaires que Lisa m'adressa avant même que la porte soit totalement ouverte furent d'une part qu'elle n'avait aucun projet immédiat de mariage et, d'autre part, qu'il y avait des choses plus féminines à se mettre sur la tête qu'un singe de laboratoire. Et quand, toujours sur le palier, je l'informai que les chocolats étaient essentiellement destinés à sa mère, soulevant les épaules, elle souligna que j'étais excessivement en retard pour le cadeau de noces puisque ses parents s'étaient mariés le 23 novembre 1973. Elle me prit tout de même la boîte des mains et m'assura qu'absolument personne n'y toucherait avant le retour de sa mère qui — et la nouvelle me tomba dessus comme une averse de roses — était présentement en Italie pour la visite annuelle des non-importés. De soulagement, j'en oubliai la désolante confusion zoologique à propos de mon chapeau et délaçai joyeusement chacune de mes bottes pendant que Lisa, accomplissant un impressionnant virage sur ses pantoufles Minnie Mouse, quittait le hall pour se diriger, chocolats sous le bras, vers la chambre parentale.

Parce qu'il faut dire que, bien que décemment habillée jusqu'aux chevilles, Lisa avait aux pieds ce genre d'horreur représentant Minnie Mouse allongée sur le ventre, le dos tragiquement ouvert des épaules à la naissance de la queue pour laisser passer les pieds. Les pantoufles de Lisa étaient *exactement* découpées comme je découpais jadis mes rats au laboratoire de biologie, le scalpel bien appuyé sur la première vertèbre. Et j'imagine que c'est précisément à cause de ces souvenirs, de mes terribles souvenirs de dissection, que j'évitai systématiquement les pieds de Lisa tout au long de la soirée, faisant exactement comme si elle s'arrêtait pile aux genoux et qu'au-dessous de cette limite, Lisa avait un genre de vide cosmique jusqu'au plancher.

C'est dans cet esprit de négation absolue des pieds que je suivis Lisa jusqu'au salon où nous nous assîmes côte à côte sur le divan. Comme on se serait effectivement assises dans mon cartable. L'un et l'autre étaient bel et bien de la même couleur. Bien qu'en contact quotidien avec le mauve extra-terrestre, il me fallut un certain temps pour m'habituer au coup d'oeil. En fait, pour être tout à fait honnête, le salon de Lisa, *tout* le salon était en soi une grande erreur humaine et quel que soit l'endroit où l'on posait les yeux, quelque chose d'encore plus effrayant attendait juste à côté. Dans le genre, l'aquarium valait le détour. Non seulement les algues et autres verdures étaient en plastique, mais les poissons eux-mêmes étaient en caoutchouc. D'ailleurs, dès notre entrée dans le salon, Lisa me raconta comment, deux fois par année, elle les repeignait elle-même en se fiant à la page illustrée d'un vieux *Larousse* pour faire, selon son expression, aussi vrai qu'un saumon ou n'importe quoi d'autre. Avec une infinie précaution, elle les replaçait un à un, suspendus à leurs fils métalliques et faisait des vagues minuscules avec ses doigts pour le seul plaisir de les voir bouger derrière la vitre. Toute l'entreprise me sembla d'une totale absurdité, mais j'écoutai Lisa jusqu'au bout, me penchant même sur l'aquarium pour faire aussi deux ou trois vagues, au grand plaisir de la fillette qui s'agenouilla dans la lumière verte pour regarder nager ses amours synthétiques. C'était comme ça. Lisa avait une foi aveugle dans les babioles.

Nous étions assises en plein royaume du toc. Elle passa donc tout à fait naturellement de l'aquarium à la fausse bûche dans le foyer, branchant et débranchant la prise pour me faire le spectacle de l'illumination, persuadée que la beauté de la chose me ferait perdre connaissance et rien de moins. Je me contentai de regarder sans passion la lumière rouge s'allumer et s'éteindre, et Lisa, nettement déçue par mon manque d'enthousiasme, vint alors se rasseoir à mes côtés, frottant l'une contre l'autre ses pantoufles que je continuais d'ignorer, me demandant des détails précis sur mon salon. L'interrogatoire en règle.

Et quand j'eus fait le tour de mes pièces, elle se permit de me proposer quelques changements essentiels comme l'acquisition d'un couvre-pied de chenille rose et de lampes Louis XIV pour ma table à café. Elle alla même jusqu'à m'offrir une visite guidée chez Mimmo pour trouver ces merveilles qui transformeraient mon monastère en une *vraie* maison. Dans la foulée, Lisa me conseilla le mariage, compte tenu des trésors de bibelots qu'on reçoit toujours à cette occasion. Elle abandonna d'ailleurs la décoration pour basculer définitivement dans le matrimonial et s'informer de but en blanc de mes rapports intimes avec les hommes, prête à prendre des notes. Elle voulait tout savoir et surtout le nombre de demandes en mariage qu'on m'avait à ce jour adressées. Or, comme aucun homme ne m'avait jamais rien proposé du genre, je n'avais aucune histoire de bague de fiançailles à raconter à Lisa qui, la première déception passée, tomba dans la plus touchante désolation, s'excusant même d'avoir abordé le sujet et, faute de mari, m'offrit une dragée sortie de la jupe en tulle d'un tout petit bébé en plâtre qui trônait sur la télévision. Par

41

pudeur sans doute, je n'osai expliquer à Lisa que l'absence de mari ne sous-entend pas nécessairement le voeu de chasteté et j'acceptai malhonnêtement sa dragée et sa compassion, lui précisant tout de même que les choses n'étaient pas à ce point pathétiques.

J'ajouterai quand même que mes rapports avec les hommes étaient à cette époque on ne peut plus normaux. Et bon, malgré une variabilité certaine au niveau du partenaire, je me maintenais plus ou moins à la fréquence nationale, soit 2,3 fois par semaine. Malgré la statistique, je m'en tenais personnellement aux nombres entiers. Je veux dire que cette histoire de 0,3 rend le *coïtus interruptus* terriblement précoce.

Mais on comprendra que je ne pouvais absolument pas aborder cette question de moyenne nationale avec Lisa, qui avait encore l'âge de croire que son père avait effectivement trouvé le *Penthouse* qu'elle avait découvert le matin même sur la table de la cuisine. D'ailleurs, si je connais aujourd'hui cette histoire, tirée par les cheveux, de pornographie trouvée à la porte du building, c'est que, grimpée sur une chaise et cherchant désespérément à atteindre l'album de photos sur la bibliothèque, je fis tomber bien malgré moi ce fameux *Penthouse* sur le tapis et reçus l'explication en retour. Je sus évidemment que le père de Lisa avait — de lui-même et sans lobotomie — probablement acheté le magazine, mais je préférai laisser à Lisa sa version censurée et replaçai la pornographie sur la bibliothèque, l'éloignant cependant du bord pour que rien au monde ne puisse la faire retomber et troubler la naïveté de Lisa. On a tout à fait le droit à neuf ans de croire que son père n'est pas un homme.

Parlant de lui, Lisa en profita pour m'apprendre qu'il était pour l'instant au Bar Sportivo mais qu'il serait de retour avant mon départ. Quand je lui demandai comment son père pourrait deviner l'heure de mon départ alors que je n'en avais encore aucune idée moi-même, Lisa ne se laissa pas impressionner par ce bunker de logique et se contenta de déclarer que s'il n'était pas rentré avant mon départ, je devrais forcément partir après son arrivée. Après tout, j'étais là pour faire la baby-sitter ou la dame de compagnie, selon mon choix. Voilà d'ailleurs pourquoi le père était tellement d'accord avec ma venue. J'étais là pour que lui puisse être ailleurs. Au Bar Sportivo, par exemple.

J'en étais là dans mes réflexions quand Lisa ouvrit l'album à la première page où apparaissaient noir sur blanc l'empreinte d'un pied d'environ trois pouces sur deux et, dessous, les mots *pied de Lisa, 36 heures*. Et même si j'étais tout à fait en mesure de lire l'inscription, Lisa se fit un plaisir de le faire pour moi, ajoutant une série de détails concrets sur la manière dont on lui avait plongé le pied dans l'encrier et lavé par la suite dans un dissolvant. Elle termina la description en m'indiquant que toute l'histoire lui avait été contée par sa mère puisque n'ayant à l'époque que trente-six heures, elle ne pouvait de toute évidence se souvenir *parfaitement* de l'incident. Du pied, nous passâmes à la seconde page où, toujours aussi jeune mais nettement plus expressive, Lisa faisait cette fois face à la caméra. Même sans cheveux, elle avait déjà la nationalité dans les yeux. À la cinquième ou sixième page, les perles aux oreilles firent leur apparition et encore un peu plus loin les dents qui, même à cet âge, frôlaient déjà la catastrophe naturelle.

Mais de toutes les photos, des milliards de photos que je regardai ce soir-là, une me frappa plus particulièrement. On y voyait Lisa en costume de mouton tenant dans ses bras un mouton en peluche. Des deux ovidés, seule la peluche regardait l'objectif, Lisa étant occupée à lui arranger une oreille, comme votre mère vous aurait arrangé les oreilles si, par hasard, vous les aviez montées sur un fil de fer. Tout l'extraordinaire de cette photo était là. Deux très faux moutons mais un vrai geste. Le geste maternel.

Et pour poursuivre dans la maternité, c'est également en feuilletant l'album que je fis connaissance avec la mère de Lisa à qui d'ailleurs on tranchait systématiquement la tête alors que la fille siégeait à tout coup au centre de la photo. Je dus attendre celle du mariage, collée à l'endos de la dernière page, pour avoir une version intégrale. Je dois avouer qu'avec une tête sur les épaules, la mère de Lisa était plutôt jolie, mais beaucoup moins que sa fille cependant. Lisa était même terriblement plus belle, bien qu'elle considérât tous les membres de sa famille comme des êtres extraordinairement beaux et parfaitement féminins ou masculins, selon le cas. Il fallait l'entendre s'émouvoir sur chacun des trois millions de cousins éloignés, empilés sur le parvis de l'église et posant solennellement pour la photo officielle du mariage de ses parents qui — je le mentionne en passant — cachaient très mal qu'ils s'étaient déjà chargés de la conception de Lisa. Mais comme la personne intéressée ignorait manifestement qu'elle était déjà sur la photo, je gardai pour moi mes conclusions et laissai Lisa s'émouvoir sur les robes en organdi des trois douzaines de filles d'honneur.

Puis, Lisa, vérifiant l'heure sur sa montre-bracelet, ferma soudain l'album et m'entraîna dans la cuisine. Grimpée sur une chaise, elle attrapa d'une main la radio et la descendit sur la table, déplaçant allègrement une série de figurines japonaises dont le jaune du visage scorait juste au-dessous de la phosphorescence. Et parce que justement elle m'avait poliment ordonné de m'asseoir directement devant, je passai un moment en compagnie des douze faces de citron alors que, de l'autre côté de la table, Lisa cherchait à capter les ondes de Madame Ludowsky, professeur de catéchèse qui allait sous peu nous entretenir de l'économie rurale dans les pays de l'Est.

Je me mis donc à regarder les figurines, sans

aucune intention de les garder en mémoire, mais mon cerveau étant ce qu'il est, il enregistra minutieusement les détails de la douzaine d'Asiatiques. Encore aujourd'hui, je n'ai qu'à fermer les yeux pour revoir le petit rigolo assis sur sa roche et qui pêche à la ligne dans la tache bleue qu'on lui a peinturée au bout des souliers. Et juste à côté, son chien jaune qui attend depuis vingt ans que le poisson morde ou quelque chose. Je vous dis, tout est là, dans ma tête.

Je regardais les figurines et Lisa écoutait le prix du grain soviétique, suivant le rythme des chiffres en tapant de sa main droite comme une télégraphiste. Et Dieu sait pourquoi, ou peut-être à cause de la proximité de la bouilloire, je reportai mon attention sur l'appareil dentaire que ses lèvres entrouvertes laissaient apercevoir jusqu'aux élastiques minuscules qui — je l'appris plus tard — devaient être rigoureusement changés tous les jours. Si je connais ce détail sur l'horaire des élastiques, c'est que j'ai assisté moi-même à l'opération, comme on assiste au changement de la garde, avec toute la solennité requise. Lisa me demanda effectivement de garder le silence alors que, face au miroir, elle les retirait dans un bruit de caoutchouc mouillé pour en remettre aussitôt deux autres qu'elle accrocha de chaque côté, montrant du doigt les pointes métalliques qui servaient maintenant de piliers aux fils barbelés qu'elle traînait dans la bouche. J'attendis qu'elle fut ré-élastiquée pour m'informer, comme ça, de la dentition de son père.

Lisa me lança alors un regard douloureux, comme si nous venions de tomber net dans la tragédie grecque, et ce n'est qu'une fois la lumière de la salle de bain éteinte qu'elle m'apprit — à voix basse et dans la plus totale obscurité — que son père n'avait plus ses dents depuis sa jeune adolescence, mais qu'il n'en était pas moins un homme parfaitement normal, chose dont j'étais d'ailleurs déjà convaincue. Avec ou sans dents, on pouvait difficilement être plus normal que le père de Lisa. Et c'est précisément ce que je murmurai alors à sa fille, allant même jusqu'à lui assurer qu'un vrai père et de fausses dents étaient de loin préférables à la combinaison inverse. Or, bien que tout à fait ridicule, ma déclaration eut l'heur de faire le plus grand bien à Lisa. Elle abandonna instantanément le théâtre grec, poussa la porte de la salle de bain et, remontant le corridor, me fit signe de la suivre dans le salon où, en nous rasseyant sur le divan, nous retombâmes aussi raide sur l'aquarium vénusien.

Je n'ai aucune intention de retracer ici le détail des ouïes multicolores mais j'aimerais tout de même m'arrêter sur le rouge des yeux de certains poissons, rouge que Lisa qualifiait de communiste. Exactement comme on aurait dit vert pomme. Lisa disait rouge communiste. Et seulement pour la débarquer des poissons, je l'embarquai sur *Das Kapital* et compris très vite que la connaissance de la fille se limitait à deux adjectifs: communiste comme papa, et fasciste comme le voisin d'en dessous. Et encore, elle avait une de ces façons aériennes de prononcer les mots, qu'on aurait dit qu'il s'agissait là de deux saveurs de *gelato*. Le cornet vous le voulez au communiste ou au fasciste? Ce genre de légèreté rafraîchissante.

Le père de Lisa était donc communiste et comme Lisa croyait dur comme fer que c'était transmissible génétiquement, elle l'était aussi. Voilà pour la politique.

Pour le rouge, Lisa avait ce mot d'enfant qu'elle me répéta douze fois parce que — selon elle — ce genre d'erreur était une exception dans sa vie, à croire qu'elle était née avec le Grevisse à la main. Jusqu'à ses quatre ans, Lisa avait dit jour à lèvres au lieu de rouge à lèvres. Et même que son père lui en avait acheté un vrai de vrai, seulement pour le plaisir de l'entendre trébucher sur le mot. Jour à lèvres. Elle insista alors pour me montrer l'objet qu'elle n'avait jamais vraiment utilisé et je la suivis docile jusqu'à sa chambre qui n'était rien de moins que la quintessence de la féminité. Tout, mais absolument tout dans cette chambre rappelait la comtesse de Ségur ou Dieu sait quelle vieille noblesse et, craignant l'intoxication, je restai plantée dans la porte, regardant de loin comme on aurait regardé le XIXe siècle. Et Lisa, sortant le rouge à lèvres de sa *vanity,* s'amusa dix ans à le faire descendre et monter dans son tube, comme un ascenseur. Une bombe lui serait tombée dessus qu'elle ne se serait pas interrompue, passionnée qu'elle était, Lisa.

Maintenant, je tiens à préciser que n'importe qui, assis dans cette pièce et portant de surcroît une paire de souris aux pieds, *n'importe qui* aurait forcément atteint le plus haut ridicule. Lisa, elle, réussit dans cette *overdose* de vapeurs féminines à me renvoyer une image d'elle-même terriblement nette, de celles qu'il suffit de voir une fois pour comprendre certaines choses essentielles.

Voir Lisa, ravie, se faire l'ascension du rouge à lèvres prouvait noir sur blanc que la passion est forcément la seule façon décente de faire les choses. Et, une fois cette vérité gravée dans le cerveau, la plus humble des activités peut subitement devenir un des hauts faits de votre vie, ou au moins de votre avant-midi. Et quand je parle de passion, je parle de cet état second qui vous permet de passer trois heures à regarder un déménagement de fourmis d'un côté de votre cour à l'autre et de sortir de cette expérience totalement satisfait de vous, d'elles, et des choses de l'univers en général.

Si je me souviens bien, c'est tout de suite après l'histoire du rouge à lèvres que Lisa s'embarqua aussi passionnément sur sa machine à écrire dont elle changea le ruban, strictement comme on change une couche. Elle accompagna le tout de petits mots insignifiants, catégorie maternelle, et pleins de dou-dou et la-la, à croire que la machine était sur le point de se mettre à brailler. C'est avec deux épingles à couche dans la bouche que je revois Lisa à cet instant. C'est vous dire. Les Minnie Mouse aux pieds et les épingles à la bouche.

Puis, on joua aux dominos. Je perdis. Et on joua au poker indien. Je perdis. Elle acheta *Park Place* pendant que j'étais en prison et y construisit l'équivalent du Taj Mahal ce qui me ruina au tour suivant, *allora* je perdis aussi au Monopoly. Et j'imagine que je serais encore en train de perdre quelque chose si Lisa ne s'était pas endormie sur le divan pendant que, de mon côté, j'allais chercher à boire dans la cuisine.

Il faut préciser que Lisa entretenait d'excellents rapports avec le sommeil et qu'il lui fallait de deux à trois secondes pour que, de totalement réveillée, elle passe à profondément endormie, dans la plus géologique des immobilités.

Et si je parle d'immobilité géologique, c'est qu'ayant moi-même tenté par la suite de lui enlever sa robe pour éviter les plis, j'en arrivai à la conclusion qu'il aurait été plus facile de déshabiller le Rocher Percé. De fil en aiguille, et tout en continuant à tirer sur les manches de Lisa, je pensai une fois de plus à la femme de Loth et à son tragique destin. Question d'immobilité, Lisa endormie et la femme de l'autre, c'était tout à fait blanc bonnet et bonnet blanc. C'est ce que je pensais en tentant de déshabiller la fille et me demandais, comme ça, si j'allais un jour commettre *ce* genre de péchés qui se termine dans le sel. Le cas échéant, qu'est-ce que Lisa penserait du genre de hareng salé que je serais devenue?

De toute évidence, je n'allais pas réussir à lui déshabiller quoi que ce soit. J'abandonnai alors Lisa à sa profondeur océanique, éteignant le plafonnier pour allumer — comme une veilleuse — la fausse bûche du foyer. Puis, faute de mieux, je me dirigeai vers la cuisine où m'attendait patiemment ma bande de Japonais sympathiques à qui d'ailleurs je tournai catégoriquement le dos pour m'absorber sur le motif du papier peint qui, à la manière d'un cours Berlitz accéléré, présentait dix-huit traductions des mots *bon appétit*, descendant du plafond au plancher. Malgré mon peu d'intérêt pour les langues, je me mis malgré tout à lire religieusement le papier peint, improvisant sur la prononciation, l'accent tonique et tout le cirque. J'avais lu plus ou moins la moitié du mur quand la porte d'entrée s'ouvrit et qu'il entra.

Dès son arrivée dans la cuisine, il me précisa — comme s'il avait vraiment besoin de le faire — qu'il était le père de Lisa. Puis, il sourit. Cet homme souriait, debout devant moi, sans poser de questions, comme s'il était tout à fait banal qu'une femme de vingt-huit ans s'amuse à faire la baby-sitter de sa fille. Il faut dire qu'il l'aimait tellement. En fait, le père de Lisa était si profondément aveuglé par l'intelligence et le charme de sa fille qu'il aurait à peine bronché s'il avait appris qu'elle entretenait l'Orchestre Symphonique de Boston au grand complet dans le salon. C'est dire combien il l'aimait.

Après la microseconde que durèrent les présentations, le père de Lisa me laissa à mon dictionnaire mural et, sans bruit, il se planta à la porte du salon pour regarder sa fille dormir une centaine d'années. De ma chaise, je ne le voyais pas entièrement, mais je le voyais assez pour m'attacher. C'est fou comme je m'attache vite. Pour l'attachement, je suis vraiment la reine. Je peux m'accrocher comme ça à des gens très très peu attachants, comme on ferait de l'alpinisme sur un oeuf en onyx. Je parle d'alpinisme pour citer ma soeur Évelyne qui utilise toujours les mêmes mots pour décrire mes aventures amoureuses. De l'alpinisme sur un oeuf en onyx. Pour sa part, Évelyne est attachée depuis dix ans à un homme qu'elle aurait pu planter dans la cour mais qu'elle préfère garder au salon.

Je m'attache à n'importe qui. Et si je dis ça, ce n'est certainement pas parce que le père de Lisa était n'importe qui. Lui, c'était plutôt quelqu'un.

De ma cuisine, je le voyais trois quarts de profil, un quart de dos. Et c'est dans les mêmes proportions que, ce soir, je me souviens de lui. Même si plus tard je le connus sous des fractions différentes, c'est toujours à la porte du salon que je l'imagine.

Comme l'avait précisé Lisa, il avait effectivement la normalité assez évidente. Même avec un effort, personne n'aurait pu le confondre avec Bambi. Le père de Lisa était un homme, je veux dire quelqu'un qui symboliquement n'est pas né dans la même caisse de choux que moi.

Et comme si ce n'était pas suffisant, il avait les os malaires au moins aussi évidents que sa normalité mâle. Je ne connais rien de plus touchant que de la peau tendue sur l'os, juste sous les yeux, comme si la nature avait manqué de matériel et que, faute de mieux, on avait un peu tiré sur les joues. C'est ce genre de manque à gagner qui me fait inévitablement le coup. Présentez-moi quelqu'un en manque de n'importe quoi et je serai forcément là pour lui remplir les vides.

Mine de rien, le père de Lisa réveilla en moi, et admettons qu'à ce chapitre j'ai le sommeil léger, mon instinct mère-poule à cause des joues et mon côté guéparde dans la nuit, vu son état d'homme. Quand il se trouve qu'on me réveille comme ça sur les deux plans, je ne réponds plus de rien.

Si c'était seulement de moi, je garderais volontiers sous silence la suite de cette soirée qui ressemblait déjà beaucoup à une nuit. Il était passé onze heures quand le père de Lisa revint à la cuisine, s'assit devant moi et me donna l'heure tellement gentiment qu'on aurait cru qu'il me l'offrait. D'ailleurs, il m'informa régulièrement du passage du temps jusqu'à l'aube de l'autre jour. J'étais branchée sur l'horloge parlante. Le père de Lisa adorait lire l'heure et, en fait de lecture, c'est d'ailleurs à peu près tout ce qu'il faisait. On ne l'aurait sûrement pas qualifié d'intellectuel. Depuis son adolescence, il n'avait pas déplacé un livre d'une chiure de mouche. Sauf ceux de la comtesse de Ségur pour Lisa. Sur la comtesse, il aurait pu gagner un concours.

Juste après m'avoir donné l'heure, il s'était mis à m'en parler de la Ségur qu'il prononçait Ségour, comme un vrai Italien. Il expliqua comment il avait fait venir la collection entière par la poste, comment Lisa tournait les pages d'elle-même exactement au bon moment et sans même savoir lire, et comment ci, et comment ça. Et le temps passait et je me disais que ce n'est sûrement pas avec la vieille dans la cuisine qu'on en viendrait, lui et moi, à être intimes. Sur l'histoire de la poupée de Sophie fondue dans l'eau chaude, je me décidai à poser un geste. Il y avait certainement autre chose à faire à ce moment-là que d'écouter les malheurs des autres.

Le geste que je posai alors, mon *premier*, fut de toucher sa joue gauche ce qui de toute évidence le prit par surprise, comme quand une bombe vous tombe sur la tête.

J'aurais pu, bien sûr, avec un minimum d'imagination, me sortir indemne de cette situation gênante. Parmi les milliards de comportements humains au répertoire, il devait forcément s'en trouver un qui m'aurait sorti les pieds du plat, mais ce que je trouvai de plus intelligent à faire fut de tomber dans un genre de catatonie, les doigts toujours sur la joue, comme si on m'avait greffée là pour l'éternité. Il est hors de tout doute que je fis à ce moment ce que tout vermisseau fait en cas de danger: il joue au mort

54

en attendant que ça passe. Je jouais donc au mort en attendant que ça passe.

J'imagine d'ailleurs que le père de Lisa jouait à la même chose puisqu'il faisait comme si la greffe était parfaitement réussie et qu'il m'avait en joue, jusqu'à la fin des temps. Cet homme n'a absolument rien fait pour enlever mes doigts, ni même mentionné qu'ils sentaient le Monkey Chow. Or, il se trouve que mes doigts sentent *toujours* la nourriture pour singes. J'ai beau les passer au citron, il reste toujours une vapeur et l'odeur du Monkey Chow n'a rien à voir avec Opium de Saint-Laurent. C'est d'ailleurs en pensant à l'opium de l'autre que la catatonie me passa d'un coup et que je pus remettre ma main sur mes jeans, sans pour autant lâcher des yeux le père de Lisa.

Il faut dire que dans notre période de calcification, on avait été plutôt le genre de vermisseaux à se regarder dans les yeux. C'est-à-dire que nos yeux s'étaient dit deux ou trois choses comme prends-moi, ou j'ai drôlement le goût, ou j'ai excessivement envie de toi. Enfin, ce genre de conversation qui fait qu'on s'était déjà communiqué l'essentiel.

Quand il se remit à parler — et Dieu sait que cette fois la bombe était pour moi — le père de Lisa me déclara qu'il aimait sa femme et qu'il lui était fidèle. D'ailleurs, à cause du décalage, notre nuit était déjà finie pour elle et il aurait été encore plus indécent de lui faire *ça* en *play-back*. Comme si le péché était plus grand du fait que, malgré les meilleurs remords du monde,   il ne pouvait forcément le lui avouer que sept heures plus tard à sa montre à elle, montre qu'il me décrivit en détail, avec sa forme octogonale et les huit petits diamants et tout le bazar. Il s'emballa tellement sur la montre qu'il alla me chercher une photo d'elle, et du même coup, de sa femme qui l'avait au poignet. C'est en tenant la photo de sa femme comme on aurait tenu un collier d'ail et un crucifix qu'il s'excusa de ne pas pouvoir.

Le moment était venu d'oublier tout ça et de rentrer chez moi. Mais loin de laisser tomber le rideau, je me lançai frénétiquement — comme on lance une fusée en orbite — dans une triste histoire d'amour que j'inventai au fur et à mesure et qui devait en principe venir excuser ma honteuse tentative de séduction. Je coupe ici dans ma flopée de mensonges. J'avais eu un amant qui, parti en expédition à Bornéo pour tenter d'enseigner la danse sociale à une douzaine d'orangs-outans, avait récemment mis fin à notre relation, prétextant un amour délirant pour une femelle de l'équipe prénommée Lili et particulièrement douée pour la rumba. Et, de fait, une photo de Lili, trombonée à la lettre de rupture, la montrait clairement, assise sur une caisse vide, s'épouillant le poil qu'elle avait roux comme d'ailleurs tous les membres de sa famille qu'on entrevoyait à l'arrière-plan. Et comme si ce n'était pas suffisant, j'ajoutai un dernier mensonge de post-scriptum où le même amant me suppliait de le comprendre, attendu qu'on ne rencontre qu'une seule fois dans sa vie sa véritable Lili.

Voilà en gros ce que je racontai au père de Lisa qui fut visiblement touché par mon histoire et se mit à me caresser les cheveux de la nuque, par petits coups et sans rien déplacer, mais en faisant régulièrement des tut-tut qui sifflaient dans mes oreilles comme un bateau sur le Mississipi. Si j'avais eu à cet instant quoi que ce soit à me faire consoler, je suis certaine qu'il aurait réussi ipso facto. Le père de Lisa avait ce genre de don pour la consolation.

Je le verrai à l'oeuvre plus tard, avec la vieille Italienne qui avait égaré ses dents et que nous trouvâmes chez elle, assise sur treize annuaires téléphoniques et priant Dieu sait quelle Maria pour qu'un miracle fasse réapparaître ses trente-deux dents d'un coup ou qu'au moins un demi-miracle lui redonne celles d'en haut. Le père de Lisa avait réussi alors, et en moins de deux, à remettre Mémé sur ses jambes, essuyant les larmes et lui faisant dans l'oreille droite — puisque la gauche était bouchée depuis deux siècles — son truc du Mississipi. Rien ni personne n'aurait pu deviner le drame récent quand, quelques minutes plus tard, il la fit monter dans son camion, lui relevant la robe jusqu'aux genoux, geste qui provoqua chez Mémé un véritable rire d'hyène.

Le père de Lisa avait donc un don. Même si pour l'instant ma peine frisait la supercherie du siècle, je lui laissai faire son numéro jusqu'au bout, me répétant qu'il n'y avait rien de mal à stocker et qu'à mon prochain oeuf à la con, j'aurais déjà la consolation toute prête, comme conservée sur la glace. Et bien que dans les faits le père de Lisa ne me berçât pas, c'est quand même le mot bercer qui insiste maintenant pour sortir, poussé par Dieu sait quel souvenir antédiluvien de biberons de lait sur le rond allumé et tout le cirque de ma très petite enfance. Je dirais donc — pour arranger tout le monde — que, sans le faire, le père de Lisa me berça tout de même jusque tard dans la nuit.

Il ne se contentait pas de bercer. Le père de Lisa parlait aussi. Il parlait du garage de son oncle, situé dans le village de Gubbio, juste avant d'arriver aux vieilles roches qui tenaient lieu de site historique de la région. Ce qui, forcément, amenait des tonnes de touristes à s'arrêter audit garage pour faire le plein, ou changer un pneu, ou n'importe quoi d'autre. Et le père de Lisa, qui n'était encore le père de personne, avait passé l'été de ses onze ans dans la poussière et l'odeur de l'essence, courant à droite et à gauche pour laver un pare-brise ou indiquer le chemin de la rocaille romaine, ce qui, en fait, était plus que facile puisqu'elle se trouvait un demi mille plus loin, en ligne directe. En se mettant debout sur la chaise de l'oncle, chaise que d'ailleurs le père de Lisa déplaçait douze mille fois par jour pour qu'elle soit toujours dans le seul carré d'ombre que donnait l'enseigne suspendue du garage, quelqu'un donc debout sur cette chaise pouvait clairement apercevoir l'antiquité romaine. Un matin de 1961, le père de Lisa avait invité une touriste allemande à grimper sur la dite chaise pour qu'elle voie de ses yeux ce qu'il ne réussissait pas à lui faire comprendre en italien. La *Fraulein* portait des talons hauts et la chaise se trouvant sur la gravelle de l'entrée, le père de Lisa se mit à lui tenir la cheville, question d'éviter les accidents. L'histoire ne dit pas si elle était myope ou quoi, mais l'Allemande resta plantée sur la chaise pendant dix ans alors que le père remontait au-dessus des genoux, complètement désarmé par la douceur de tout ça. Et bien que la chaise, la touriste et lui fussent bien tous trois dans la fraîcheur de l'enseigne, il se mit à transpirer de partout. Une vraie passoire. Quand l'Allemande redescendit de la chaise, il était à ce point détrempé que, sans un mot, elle l'épongea en longueur, utilisant le chandail qu'elle avait noué autour des hanches et qui sentait très précisément le parfum que moi-même je sentais cette nuit-là, dans la cuisine. Voilà où le père de Lisa voulait en venir avec son histoire de garage à Gubbio, de chaise solaire et de touriste lubrique. Tout ce cirque c'était pour moi, pour me dire que je sentais bon.

Bien sûr, dans la région des mains c'est le Monkey Chow, mais partout ailleurs c'est Chanel N° 19 que j'utilise en vaporisateur pour que chaque matin, il me tombe sur la tête une averse de fleurs liquides et rien de moins. Le processus implique une perte considérable, mais il vaut cent mille fois deux gouttes d'Evening in Paris derrière les oreilles. Je pense surtout à celles d'Évelyne qui ne sort jamais sans traîner derrière elle les nuits de la Ville Lumière. Nous avons, elle et moi, des cartes routières tout à fait complémentaires en ce qui a trait aux zones érogènes. Évelyne fait dans les oreilles alors que j'arrose le reste au Chanel N° 19. Terriblement complémentaires, ma soeur et moi.

Si je parle ici de mes effusions matinales, ce n'est pas pour ouvrir la porte de ma salle de bain mais pour souligner un détail invraisemblable de l'histoire du père de Lisa. Le chandail de l'Allemande ne pouvait pas, historiquement, sentir Chanel N° 19 puisqu'en 1961, Coco n'en était qu'au numéro cinq. Bien que fort simple, cette déduction ne me vint que plus tard — quatre mois plus tard — alors qu'en feuilletant un magazine je tombai pile sur la biographie de mademoiselle Chanel. Sur le coup, je me sentis un peu tarte d'y avoir cru, et l'Allemande aurait bien pu sentir la choucroute jusqu'aux yeux que le père lui aurait quand même inventé mon parfum. Tout bien réfléchi, ce n'est peut-être pas le seul mensonge que je gobai cette nuit-là.

Comme, par exemple, le fait de ressembler à Isabella Rossellini. C'est ce que le père de Lisa m'avait dit à quatre heures du matin alors que nous étions accotés sur le lavabo de la cuisine à manger des cannellonis de la veille qui à cause du passage de minuit dataient maintenant de l'avant-veille. Il m'avait dit qu'Isabella et moi on aurait pu être cousines. Et pour me faire la preuve par neuf de la ressemblance, il alla chercher le miroir de la salle de bain et me le planta sous le nez, repoussant de sa main libre les cheveux que j'avais sur le front. Et là, Dieu sait si c'était l'éclairage ou quoi, mais, aussi vrai que le ciel est bleu, je ressemblais *effectivement* à la Rossellini. Ce sont d'ailleurs les seules minutes de ma vie où je lui ai ressemblé. Après cette nuit, jamais personne ne perdit connaissance devant la ressemblance. Pourtant, aussi vrai que le ciel est bleu, je lui ressemblais. Je me vois encore me regarder dans le miroir avec, à l'arrière-plan, le père de Lisa bloqué en position sourire. J'avais eu à cet instant la merveilleuse impression que les choses recommençaient pour moi. Je ne sais pas. Comme si le monde m'appartenait. Tout ça parce que pendant trois minutes j'avais été plus belle que moi-même.

C'est dans ce genre d'état de grâce que je terminai cette nuit, oubliant radicalement le couteau dans le coeur que j'étais censée traîner *because* l'amant de Bornéo. On pourrait dire que — seulement pour le père de Lisa — je fis tourner *the best of* moi-même. Et bien que je ne puisse citer les milliards de finesses que je fis par la suite, je suis absolument certaine d'avoir imité Martha quand elle me dit boujour le matin.

Martha me dit invariablement bonjour par quatre *hou*, les lèvres légèrement avancées, suivis d'un nombre égal de *ha* extrêmement stridents et qu'elle fait en montrant les dents jusqu'aux incisives ou à peu près. J'imagine que c'est ce que je fis au père de Lisa, ajoutant probablement une ou deux singeries comme me chercher les poux, debout sur une chaise. Si on me demandait pourquoi je fis comme ça la folle devant le père de Lisa, je dirais que de un, j'aimais beaucoup cet homme et de deux, j'aimais aussi Martha. D'ailleurs l'inverse est tout aussi fréquent dans ma vie: dans le secret de notre laboratoire, j'ai dû imiter une centaine d'amants à Martha qui d'ailleurs m'applaudit à chaque fois, avec toute la simplicité de son coeur de chimpanzé.

J'imitai donc forcément Martha au père de Lisa. Et je parierais ma mère que je lui fis par la suite l'histoire des petits canards du lac Saint-Louis. J'aime mieux dire que celle-là, je ne la fais qu'aux gens trois étoiles de peur d'user le souvenir, vu qu'il est certain qu'à force de les conter, les souvenirs s'éclaircissent aux coudes. Je ne tiens pas à m'éterniser ici sur celui que j'aime le plus au monde. Je ne mentionnerai donc que l'essentiel soit, un lac, une famille de canards, moi, trois ans, sept heures du soir et dans les bras de quelqu'un. Avec ça, vous pouvez vous broder le souvenir que vous voulez en autant qu'il vous donne l'impression d'être propre, heureux et dans les bras de quelqu'un.

Une histoire poussant l'autre, je me rendis comme ça jusqu'à l'aube, toujours assise dans la cuisine et déballant mes intimités comme on aurait déballé un aspirateur: voici un petit bout de mon moteur et voilà un petit bout de mon tuyau et j'insiste pour refaire une démonstration. Et, bien qu'il eût sûrement saisi le mode de fonctionnement, le père de Lisa n'en resta pas moins à m'écouter avec une tendresse presque postcoïtale. Ce n'est qu'après mon trente millième tour de piste qu'il me demanda de me remballer, attendu qu'il était maintenant six heures et que Lisa était sur le point de se réveiller.

À regarder le ciel, pâle comme il était, on voyait bien que notre nuit tournait à l'eau de javel. Lessivés qu'on serait, le père de Lisa et moi. Complètement lessivés.

On n'allait certainement pas avoir droit à un rappel. Je quittai l'appartement comme on tourne une page, laissant sur le palier le père de Lisa qui murmurait des *ciao* Isabella et des bonne chance Isabella et Dieu sait quoi encore Isabella. Entre le deuxième et le premier palier, je perdis définitivement ses débuts de phrases, ne gardant que les *bella* qui déboulaient dans l'escalier comme un opéra. Et puis sans raison, ou peut-être à cause de la fatigue, voilà que je me mis à pleurer comme une cruche, poussant la porte et marchant dans les rues du ghetto italien, plus triste que triste en cherchant frénétiquement mon gant droit qu'à ce jour je n'ai d'ailleurs toujours pas retrouvé.

Avec une main tournant au bleu, j'attendis l'autobus Jean-Talon, pleurant des cubes de glace et pensant très fort à Martha qui devait déjà m'attendre et Dieu sait ce qu'elle me dirait en me voyant rentrer au laboratoire dans cet état.

4

On ne pourrait certainement pas déclarer que, dans les mois qui suivirent, je fus hantée par Lisa ou par son père. Je pensai à eux peut-être dix ou douze fois, et toujours à toute allure, comme à des gens qu'on aperçoit dans la vitre d'un express pour Tokyo. C'est donc sans filet que je répondis au téléphone un matin de juillet et que je reçus en plein front la voix de Lisa qui, sans même me dire bonjour, me demanda gravement si j'avais quelque chose de pastel ou de terriblement féminin à me mettre sur le dos. J'avais ce genre de robe noire qu'Évelyne appelait mon jupon de péripatéticienne. Je répondis donc par l'affirmative et attendis la suite que je résumerai ici en dix ans de cris et chuchotements entre Lisa et son père, le deuxième étant nettement celui des deux qui chuchotait le plus. Toujours en chuchotant, il reprit lui-même l'appareil pour s'informer de ma santé et tout le bazar et pour m'inviter au mariage de la fille à Mimmo, le samedi suivant. Avec un de ces éclairs de génie d'humour qui me traversent parfois, je lui chuchotai alors mon accord et lui demandai si, pour l'occasion, son kidnappeur lui desserrait le mouchoir. Et comme, entre-temps, l'appareil avait rechangé de mains chez les Di Bello Sbarba, c'est Lisa qui reçut mon histoire de kidnapping. Elle menaça d'appeler l'escouade anti-émeute et dix ans d'explications suffirent à peine à la calmer.

Elle allait raccrocher quand elle ajouta — comme de la glace qui va craquer — que sa mère n'était jamais revenue des non-importés et que, faute de mieux, elle avait pensé à moi pour faire la doublure. Et c'est à l'entendre renifler une ou deux fois que je compris que pour elle, pour Lisa, j'aurais doublé une baleine. Seulement pour dire combien je l'aimais. Le mammifère marin que j'aurais fait pour Lisa.

Le samedi venu, c'était plutôt à une femme que je ressemblais et même à une femme particulièrement féminine puisque, pour la première fois de ma vie, j'étais grimpée sur des talons Empire State Building solides comme des épis de blé. Avec ce genre d'échasses aux pieds, c'est toute une histoire juste pour garder l'équilibre. C'était donc avec une extrême lenteur que je circulais dans ma chambre, réapprenant l'abc de la marche à pied, mais puisque j'avais dix ans d'avance sur le rendez-vous, j'eus amplement le temps de me tordre les chevilles, en repoussant de la main droite les cheveux qui me collaient au front. Côté température, c'était déjà aussi sympathique qu'en enfer. Dieu sait si nous n'allions pas tous rôtir dans le camion.

Je connaissais l'existence du camion, parce qu'un jeudi du mois de mars, j'avais vu — sans qu'il me voie — le père de Lisa faire le plein dans un garage de la rue Dorchester. En trois secondes, j'avais eu droit à un travelling sur lui, alors que mon autobus dépassait le garage, et je m'étais étiré le cou comme une dinde pour le garder en vue une demi-seconde de plus.

J'aime mieux dire que ce n'était pas exactement une BMW neuve qui était branchée sur la pompe. Le camion du père de Lisa aurait inspiré John Steinbeck lui-même que je n'aurais pas été étonnée. Et comme, de surcroît, il était vert et que j'assistai plus tard à une scène terrible entre le propriétaire et la pédale d'accélérateur, j'en arrivai à nommer secrètement son camion, le raisin de la colère. Mais, en ce samedi midi, j'imaginais surtout le fourneau à quatre portes qu'il deviendrait en plein soleil et calculais mentalement le temps qu'il faudrait à ce dinosaure pour se rendre à Sainte-Rose, ville que Mimmo avait choisie pour marier sa fille.

Ils furent, eux, dangereusement à l'heure. Au coup de deux j'entendis la robe de Lisa chui-chuiter sur le palier comme une véritable armée de cochons d'Inde. Elle portait ce genre de robe qui aurait plutôt tendance à craquer qu'à froisser, vu les trois tonnes d'empois qu'on avait utilisées pour qu'elle survive à n'importe quelle catastrophe nucléaire. Elle s'empressa de me demander une opinion. Je lui répondis que sa robe était sûrement solide, ce à quoi elle répliqua qu'on ne pouvait pas en dire autant de la mienne. Et comme si le message n'était pas assez clair, elle me précisa qu'on était sur le point de partir pour un mariage et non pour une opération à coeur ouvert. Qu'est-ce qui m'avait pris de m'habiller en jaquette et est-ce que, par hasard, j'avais l'intention de mourir sur la table, vu le noir que je portais et tout? On peut très bien vouloir étrangler les gens qu'on aime, c'est bien connu, j'étais donc à deux doigts de refermer la porte sur Lisa et ses cochons d'Inde quand le père se mêla de l'histoire, m'assurant que, dans mon genre, j'étais aussi bien que sa fille et qu'il suffirait seulement de me trouver un imperméable ou quelque chose pour faire une entrée décente à l'église.

Si on devait passer par l'église, je dus convenir que Lisa avait partiellement raison quant à la légèreté de ma tenue et j'aurais certainement ajouté une pelure si, à ce moment-là, elle n'avait pas donné le signal de départ, piétinant sur place et traînant son père par la manche qu'il avait rayée comme un mafioso. Au moment où je me tordais la cheville sur la première marche, Lisa, pour faire la béquille ou pour faire la paix, me prit la main droite, frottant le coton de son gant blanc dans ma paume et fredonna *tu me fais tourner la tête, mon manège à moi c'est toi,* sans s'arrêter, jusqu'en bas.

Sans insister ou rien, j'aimerais quand même revenir sur cet autre archaïsme de la béquille chantante et je parle ici bien sûr de ses gants blancs qui, manifestement, étaient trois points trop grands pour elle ce qui forcera Lisa à tirer dessus douze milliards de fois avant la fin de la journée, rituel innocent mais qui personnellement m'amènera à la limite de la démence présénile. Je devins à ce point obsédée par ses gants que, beaucoup plus tard dans la soirée, j'aurai un genre d'hallucination où je m'apparaîtrai sous un sapin avec, sur la tête, une crête de coq qui, vue de plus près, ressemblera énormément au gant droit de Lisa.

Elle en était à les tirer, quand, avec beaucoup de précaution, je montai sur le banc arrière du camion et m'assis directement sur ce que je pris pour un chat mort mais qui, en fait, était l'étole de lapin de Lisa. Elle grimpa à mes côtés, étalant sa robe comme la corolle d'une foutue fleur africaine. C'est donc coincée entre le tulle empesé et la porte du raisin que je fis le trajet de la rue Sherbrooke jusqu'à Atwater où le père stoppa brusquement et souriant *son* sourire, et m'invita à descendre sur le trottoir. Sans plus d'explications, je sautai maladroitement du camion, attendant comme une poire la suite des instructions, la main en visière à cause du soleil. Dans cette position, il m'immortalisa avec son nouveau polaroïd qu'il voulait seulement tester sur quelque chose de moins précieux que le gâteau de noce.

Je regrimpe et Lisa n'en finit plus de hurler de rire en regardant la photo qu'elle avait génialement coincée dans un de ses souliers de bébé suspendus au rétroviseur, précisant que j'avais l'air d'un pied. Comme si son humour était un étage trop haut pour moi, elle répéta les mots *pied* et *soulier* en se rapprochant un peu plus à chaque fois jusqu'à ce que, nez à nez, je sentisse pour la première fois la bouche de Lisa. Au-delà de l'artillerie lourde et des quelques tonnes de métal, la bouche de Lisa sentait les pommes.

Et encore, si elle avait été du genre à en manger. Mais Lisa ne consommait que les fruits qui se déshabillent, comme les oranges ou les bananes, prétextant qu'elle ne risquerait pas sa vie à avaler les empreintes digitales de fermiers qui se lavaient encore au gras de porcelet, convaincue comme elle l'était que le savon en pain n'était pas encore rendu dans nos campagnes. Il faudra la voir plus tard faire le tri dans sa salade de fruits, séparer systématiquement les habillés des déshabillés et transporter les premiers de son bol au bol de son père qui — très maternel — les repassera directement dans la bouche de sa voisine. Un petit coup de pêches coupées pour Mémé, et deux cerises pour mon oncle Mimmo, et blablabla. Alcoolisés qu'ils étaient le père et la voisine. Vous n'avez pas idée.

Donc, Lisa sentait les pommes aussi vrai que le raisin puait l'essence et j'aurais volontiers passé le voyage branchée sur sa bouche. Mais il se trouve qu'on était rendu chez Desperado qui habitait un troisième sur la rue Dante, troisième que d'ailleurs j'eus le plaisir de visiter pendant que Lisa faisait la circulation en bas pour que rien ni personne n'effleure le raisin stationné en double.

En montant chez Desperado, le père, qui me suivait d'une marche, m'expliqua les dessous de la volatilisation de sa femme. Il n'étira pas la sauce de son drame. En trois phrases l'histoire était bouclée et sa femme remariée à un veuf qui faisait dans le fromage et vivait à Pise dans une tour qui n'était pas *la* tour. D'ailleurs ce n'était même pas vraiment Pise mais plutôt la banlieue et ce n'était pas non plus un vrai mariage, puisque sa femme ne s'était pas officiellement démariée de ce côté-ci de l'Atlantique. Et après l'Atlantique, plus rien du tout sauf le clic-clic de mes talons sur les marches et un genre de *fog* anglais de tristesse qui humidifiait terriblement la cage d'escalier.

L'ultime preuve que la vie n'est pas un roman c'est que je ne le pris pas à cet instant dans mes bras pour lui chanter avec mon filet d'anchois de voix, *rain, rain, go away, come again some other day*, pendant que de ma main droite j'ôtais mes buildings de souliers afin que mon genou se coince parfaitement entre les deux siens, la rotule contre ses rayures de mafioso, avec tout le charme discret des relations presque sexuelles. La vie n'est pas un roman.

J'aime mieux dire que ce que je fis par la suite n'a rien non plus d'un prix Goncourt. Parce que, pour remplir le vide ou Dieu sait quói, je demandai alors au père de Lisa la sorte de fromage. Je veux dire, le fromage du veuf. Si c'était du mozzarella ou quoi. Il me répondit très précisément d'aller pondre un oeuf. Chez les Di Bello Sbarba on n'envoyait pas les gens se faire cuire les oeufs. On leur demandait d'en pondre. Et c'est d'ailleurs une des choses que Mimmo déclarera à son presque gendre quand celui-ci se présentera à l'église avec, sur la tête, un chapeau de pêche au bord duquel on avait épinglé douze mille mouches artificielles. Mimmo lui ordonnera alors d'aller en pondre un, et même une douzaine.

Juste là, dans l'escalier, le père venait de me shooter le coup de l'oeuf dans les mollets et moi j'ai vacillé sur mes Empire State, cherchant la rampe aussi fort que je cherchais une gentillesse pour faire passer le fromage. Voici ce que je trouvai de mieux à murmurer alors au père de Lisa. Je lui murmurai, deux points ouvrez les guillemets, je murmurai: «Lisa est un zillion de fois plus belle que sa mère. Un zillion et des poussières.»

Ce n'est qu'une fois rendu à la porte de Desperado, qu'il fit la paix en m'embrassant — sans avertir — la première vertèbre cervicale. Moi, j'ai sursauté comme une lunatique ce qui, forcément, lui a planté la vertèbre au complet dans la bouche. On pourrait dire que ce fut là notre premier véritable contact sexuel, avec pénétration et tout.

En m'essuyant la nuque de sa main gauche, le père de Lisa me fit une remarque idiote mais qui me fit mourir d'amour pour lui. Il me dit à l'oreille, qui portait pour l'occasion un minuscule King Kong en pierre de lune, qu'il avait vraiment le *cou* de moi.

Ainsi, morte d'amour, je le suivis dans le trois et demi de la vieille qui ne fermait jamais sa porte à clef puisqu'elle l'avait tapissée de photos tous formats de Jean XXIII, certaine qu'un vingt-quatre poses du saint homme constituait une meilleure protection que la plus obstinée des serrures. En fait, et pour être tout à fait précise, la porte comptait plutôt vingt-trois Jean du même nombre, plus une photo de chien que Desperado avait surréalistement nommé Jean XXIII, en l'honneur de vous savez qui et pour faveur obtenue.

C'est d'ailleurs lui qui nous accueillit dans le corridor, grattant pathétiquement le prélart comme si son grand âge lui faisait confondre huit pieds par quatre pieds de linoléum avec un jardin où il aurait un jour de son enfance enterré un restant d'osso buco. Complètement sénile, le chien. Mais bon, ayant moi-même, dans ma vie, gratté inutilement à la porte d'un régiment d'amants, je lui flattai solidairement la tête, lui chantant seulement pour le faire rire *Johnny the twenty-third B. Goode Tonight* pendant que le père de Lisa se rendait directement à la cuisine où Mémé pleurait les chutes Niagara *because* la disparition de son dentier. J'étais toujours à genoux près de Jean XXIII quand je vis, en contre-plongée, la prise un du miracle de la consolation, avec pour bande sonore les tut-tut du père dans l'oreille droite de sa grand-tante.

Il s'était penché, les mains dans les poches, vers cette minuscule créature — un véritable bonsaï italien en robe de crêpe noire — et avait murmuré des choses aussi maternelles que la langue qu'il utilisait pour les chuchoter. J'aime mieux dire qu'à l'entendre parler italien, je passai de morte d'amour à très morte d'amour pour lui, ne comprenant rien à rien à ce qu'il racontait mais répétant malgré tout la fin de chacune de ses phrases, comme prise d'écholalie passagère.

Bien sûr, l'amour ne demande pas d'explication, mais j'aimerais quand même expliquer un petit peu. Le père de Lisa était tellement humain qu'il aurait pu gagner un prix. Et quand je parle d'humain, je parle ici de cette belle famille qui commença humblement par l'*homo erectus* et qui, à force de chirurgie peut-être, en vint à ressembler énormément à celui pour qui je mourais justement d'amour à quatre pattes sur le linoléum de Mémé. Cet homme, de toute évidence, était fait pour en faire d'autres. C'est une des choses que je tiens mordicus à dire à son sujet. Le père de Lisa me réconciliait avec la planète et me donnait même un soupçon d'espoir quant à l'avenir de tout ça, les enfants, les arbres et les planctons. Ma planète au complet. Il me donnait de l'espoir.

J'étais donc là, dans le corridor et lui dans la cuisine comme les treize annuaires téléphoniques que Mémé empilait d'année en année parce que de un, Mémé ne savait pas lire, et de deux, elle ne savait pas téléphoner. D'annuaire en annuaire, Desperado s'asseyait mille cinq cents pages plus haut chaque année et Dieu seul sait ce qui reste d'espace aujourd'hui entre ce bonsaï de tante et le plafond de sa cuisine. Il était aussi problablement le seul à savoir — le bon Dieu — où elle avait foutu ses dents, en ce samedi où Mimmo allait marier sa fille. Pendant que le père continuait à consoler, je m'étais mise de mon côté à louper. Je veux dire louper, comme dans regarder avec une loupe. Je loupai donc l'appartement à la recherche des fausses dents de la mémé. Je faillis trouver, puisque juste sous la pédale d'une machine à coudre d'avant Mussolini, j'attrapai quelque chose qui de loin ressemblait vaguement à un dentier mais qui, à deux doigts des yeux, s'apparentait nettement plus à la boîte crânienne d'un bébé hamster, découverte qui provoqua chez le chien une réaction aussi toquée que pathétique. C'est-à-dire que, faisant exactement comme si le hamster n'était pas mort depuis deux siècles, Jean XXIII se mit à lui lécher la boîte, entamant simultanément une danse que je qualifierai de *soft shoe*, avec les sou-

liers en moins. Et bien qu'on parle ici d'un chien tout
à fait régulier avec ce que cela comprend d'oreilles et
de pattes, j'aurais, moi, plutôt tendance à me souvenir
de la scène avec, au premier plan, Fred Astaire dan-
sant pour un minuscule crâne qui jadis s'était peut-
être appelé Ginger. Mais bon, c'est comme vous voulez. Ou vous imaginez un chien ou vous pensez à
Astaire. L'important surtout c'est que *ça* danse.

Et c'est d'ailleurs pour que *ça* arrête de danser
que je mis finalement la boîte crânienne de Ginger
dans mon sac, essayant de mon mieux de faire
oublier à Jean XXIII sa récente rencontre du troisième type. Je le tirai à deux mains dans la chambre
à coucher et continuai à louper, trouvant là tout ce
qu'on peut imaginer trouver dans un lieu habité par
quelqu'un qui — on le sait déjà — laisse se momifier
des hamsters sous sa machine à coudre. Je trouvai
donc *tout*, sauf bien sûr le dentier.

Entre-temps, le père de Lisa avait complètement
miraculé Desperado, et je fus rappelée à la cuisine,
abandonnant derrière moi Jean XXIII qui retomba
aussi sec dans sa névrose obsessionnelle, grattant le
corridor sur toute la longueur, exactement comme si
son récent numéro de music-hall pour Ginger était
déjà enterré, chose que je dus faire un jour pour
Ginger elle-même. Je veux dire, l'enterrer. Parce
qu'une fois Desperado sortie de son inondation,
j'avais moi totalement oublié le crâne non identifié
que je traînais toujours dans mon sac et ce n'est

qu'une fois retournée au camion, au moment précis de l'ascension de Mémé dans le raisin, que je me rappelai l'existence de Ginger et décidai secrètement de la garder pour moi, *in memoria della famiglia*. Elle fit son office pendant huit mois sur ma table de travail: elle me rappela les Di Bello Sbarba. Et quand le souvenir se mit à me faire plutôt pleurer, j'enterrai Ginger dans une boîte de cigares, vide depuis quarante ans et portant une inscription dorée sur fond noir qui disait textuellement: *PUNCH. A PLEASURE TO SMOKE*. C'est peut-être absurde pour le crâne d'un hamster, mais ce fut la plus belle épitaphe que je pus trouver à Ginger, vu le doré du papier et tout.

J'en étais donc à me rasseoir dans le raisin, avec Mémé à ma droite, Ginger dans mon sac et le couple Lisa-papa devant. Nous roulâmes comme ça, en silence, pendant quatre minutes et demie, soit la distance entre la rue Dante et l'église de la Madonna della Difesa. Je n'avais toujours que ma robe noire sur le dos, et Lisa retomba dans sa caricature de vierge offensée, refusant catégoriquement de me laisser sortir du raisin si je n'acceptais pas de mettre sur mes épaules son espèce de chat miteux qu'elle appelait élégamment sa cape de lapin. C'est donc — juste à y penser j'aurais le réflexe de me cacher dans ma boîte à pain — c'est donc avec cette chose en poil qui me couvrait à peine les épaules que je fis mon entrée dans la Madonna della Difesa, après bien sûr avoir longuement remercié Lisa pour sa générosité.

À ses yeux, sa cape représentait le *homard à la Newburg* de sa garde-robe et le geste qu'elle venait de poser, en me la cédant comme ça pour une heure, ce geste lui assurait minimum un condominium pour sa vie dans l'au-delà. Avec son air de sainteté et le mien d'extra-terrestre fraîchement atterri, nous fîmes, elle et moi, le trajet du dernier à l'avant-premier banc, suivies du père et de Desperado qui n'en finissait pas de bénir les deux cent cinquante invités déjà parqués dans l'église, bénédiction qu'elle envoyait d'ailleurs comme un véritable pape, rien de moins. Jean XXIII n'avait donc pas l'exclusivité de la sénilité sur la rue Dante.

On pourrait croire que s'asseoir sur un banc d'église est une opération finalement assez simple. Mais s'asseoir sur un banc d'église *avec Lisa Di Bello Sbarba* relève — croyez-moi sur parole — de la haute stratégie militaire. Je veux dire qu'elle nous plaça d'abord par proximité des liens sanguins: son père, elle-même, Mémé, et moi tout au bout du banc. Puis, nettement insatisfaite du résultat, elle nous replaça par ordre alphabétique pour finalement se fixer sur *la* solution, soit la grandeur exacte de chacun de nous, avec le plus grand à l'extrémité droite et la plus petite à gauche. Même là, il me fallut ôter un soulier pour que l'église entière pût constater que j'étais effectivement plus petite que le père; quant à Mémé, qui refusa net d'enlever son chapeau, elle se le fit écraser sur la tête par Lisa qui prouva ainsi, noir sur blanc, que Desperado était la plus minus de nous tous. Une fois l'ordre établi, Patton nous accorda le droit de nous asseoir, ce que nous fîmes d'ailleurs, attendant sagement que le spectacle commence.

Considérant qu'il faut un minimum de deux personnes pour qu'il y ait mariage et comme le futur gendre avait, aux dernières nouvelles, nébuleusement disparu de la planète, le spectacle commença avec énormément de retard et encore, il s'en fallut de peu pour qu'on ne rembourse tout le monde à la porte. Parce qu'en plus d'arriver une éternité plus tard que l'heure prévue, Enrico entra avec un chapeau de pêche sur la tête, cadeau de son garçon d'honneur avec qui il avait, de toute évidence, passé les soixante-douze dernières heures à boire l'équivalent du Nil en Labatt 50.

De tous les invités présents, et j'inclus ici la mariée elle-même, le père de la mariée, le père du père et ainsi de suite jusqu'à Adam et Ève, de tous ces gens donc, Lisa fut celle que l'incident bouleversa le plus. En fait, je pense sincèrement que l'arrivée d'Enrico à l'église tua sur le coup l'enfance de Lisa et lui ouvrit sur le nez la porte de la dure réalité humaine, réalité où le passage du prince au crapaud est terriblement plus fréquent que le phénomène inverse.

Enrico tenait donc parfaitement son rôle de crapaud, insistant pour garder son chapeau et les douze mille mouches qui, à cause des vitraux de la

Madonna, brillaient assez pour attraper deux bancs entiers de poissons. Et quand je parle de banc, je ne parle pas forcément du nôtre bien qu'avec ma cape, j'imagine qu'on aurait pu me confondre avec une barbote ou n'importe quoi d'aussi franchement élégant.

Toujours est-il que Mimmo, après avoir commandé sa douzaine d'oeufs, en vint à l'ultime ultimatum, soit le chapeau contre sa fille et pas une mouche de plus, déclaration qui tomba sur nous comme du Shakespeare *al pomodoro*, avec traduction française assurée par Lisa qui, grimpée sur le prie-Dieu, vieillissait aussi vite qu'elle tirait sur ses gants. Bien sûr, Enrico choisit la fille parce qu'après tout, l'éventail des plaisirs partagés avec une chose en paille est quand même plus limité que celui qu'on peut imaginer avec un être du sexe opposé. C'est donc ainsi qu'il épousa la fille de Mimmo, totalement saoul et la tête aussi vide en dedans que par-dessus.

C'était parti pour la cérémonie que le père de Lisa confondait vraisemblablement avec un vieux Marx Brothers, puisqu'il n'en finissait pas de pouffer devant Enrico qui lui-même n'en finissait pas de regarder dans notre direction. Tellement, que le curé dut tout interrompre le temps de rappeler au marié que l'action se passait devant et non derrière et que si l'heureux élu continuait à se prendre pour une girouette, il arrêterait, lui, aussi sec de se prendre pour le bon Dieu.

Allez donc savoir ce qui faisait rire ainsi le père

de Lisa? Après tout, on n'était pas exactement assis derrière Popov. Mais bon, il s'éclatait et je pense ce soir — je pense avec toute ma tendresse pour lui — je pense sincèrement qu'il s'éclatait ainsi pour ne pas éclater tout court, avec son coeur qui aurait éclaboussé les vitraux jusqu'à ce que la Madonna en attrape une teinture permanente. C'est seulement pour dire à quel point il devait avoir mal d'assister à la naissance de quelque chose qui pour lui était récemment mort, dans une banlieue pisseuse. Et quand je dis pisseuse, je veux dire pisseuse comme dans Pise avec deux s.

J'étais donc coincée entre ce quelqu'un qui risquait à tout moment de tomber raide mort de rire et la fille de ce quelqu'un qui faisait surtout dans l'exaspération et les soupirs à soulever la soutane du curé. Lisa hyperventila comme ça jusqu'à l'élévation, moment où, renversant la situation, elle s'arrêta carrément de respirer comme si on venait de lui plonger la tête dans un bol de punch hawaïen. C'était incroyable de la voir retenir si longuement son souffle pendant que le ciboire luisait comme le chapeau de tantôt et je me mis à compter frénétiquement les secondes, suppliant le bon Dieu de passer au pain en accéléré, vu la syncope qui guettait Lisa. Mais personne ne syncopa ni sur la droite, ni sur la gauche et j'assistai même à la tombée du rideau avec des voisins relativement normaux, et, en prime, un marié qui réussit à garder la tête vissée vers l'autel pendant près de quatre minutes consécutives.

Je dis des voisins *presque* normaux parce que Desperado, à la toute fin, fit baisser d'un cran notre moyenne au bâton, enjambant tout le monde pour se retrouver en tête du cortège qui quittait l'église sur le thème du *Godfather*, joué à l'orgue par une cousine du père nommée Simonetta et portant des lunettes épaisses d'ici à l'autre côté de la rue. À l'aide de ses triples loupes, Simonetta tombait pile sur les accords avec la subtilité d'un camion dix tonnes alors que Mémé re-bénissait tout le monde, accompagnant cette fois le geste de paroles saintes, entrecoupées d'une recette de *pasta* maison. C'est Lisa qui me raconta l'histoire des pâtes, elle qui n'en manquait jamais une grâce à ses oreilles que je qualifierais sans hésitation de très bioniques.

D'ailleurs, et vous n'avez qu'à téléphoner à son père pour vérifier, Lisa avait cette capacité de capter les voix humaines dans un rayon équivalent à la superficie de ville d'Anjou. Rien, mais absolument rien ne lui échappait et Dieu sait quel genre de centrale téléphonique elle avait dans le crâne pour superposer ainsi la recette de Mémé, l'orgue de Simonetta et la conversation tout à fait privée qui se tenait entre Enrico et la mariée, conversation chuchotée et tournant principalement autour du fait que la partie mâle de ce nouveau couple allait passer la première nuit sur le balcon. J'ajoute en passant qu'avec moi pour douce moitié, Enrico aurait payé beaucoup plus cher la consommation de son mariage et encore, je lui aurais foutu plein de glaçons dans le verre. Je veux dire que, lui et moi, on aurait consommé plutôt froid. Mais bon, je ne suis pas la femme d'Enrico, ni de personne.

Et comme si ce n'était pas suffisant, les radars ultra-soniques de Lisa attrapèrent aussi au vol le pépiement de la bouquetière qui se répétait comme une véritable incantation *moi, pas pipi dans mes culottes*. Ce qu'évidemment elle fit dès sa sortie de l'église, continuant à tout nier malgré le ruisseau qui lui coulait maintenant dans les souliers. Et qui prit alors son mouchoir pour essuyer les jambes de la bouquetière, lui sifflant dans la crinoline un genre de *Old Man River* à se noyer d'amour dans le Mississipi? Qui prit ce bébé de bouquetière dans ses bras, la faisant tourner autour de lui question de lui faire un Parc Belmont pour deux secondes? Qui donc, hein, sinon le père de Lisa.

Bien entendu, la fille de l'autre se met à s'énerver comme ce n'est pas possible parce que *son* père avait dans les bras quelqu'un qui n'était pas elle-même et, horreur des horreurs, quelqu'un qui, de surcroît, dégouttait par en bas comme la plus minable des chantepleures. Et j'imagine que c'est pour lui fermer le robinet que Lisa, jalouse comme un pou, se mit à doubler tout le monde dans l'allée, criant à la bouquetière d'arrêter immédiatement de faire la foire, la menaçant même de lui planter son bouquet de pompons dans les oreilles si elle ne descendait pas subito presto de son manège de père. Alors, forcément, la bouquetière laissa tomber le père et le bouquet pour se clouer les mains sur les oreilles, terrifiée comme elle l'était de se les voir fleurir par Lisa, qui récupéra ainsi son père aussi vite que Desperado récupérait les pompons tombés au pied du photographe. Parce qu'évidemment, le cirque au grand complet se fit photographier pendant dix ans. Quand je parle de cirque, je parle, entre autres, d'Enrico qui tournait maintenant au blanc et avait précisément l'air de sortir de chez le dentiste, et de sa mariée qui elle sortait plutôt de l'enfer, sans compter Desperado qui malgré ses quatre-vingt-deux ans s'obstinait à faire la bouquetière alors que la bouquetière elle-même gardait férocement les mains de chaque côté de sa tête comme si une bombe était sur le point de lui tomber dessus. Et, tout à droite sur la photo, moi et ma merveilleuse cape qui me donnait exactement la tête qu'il fallait pour être engagée par Phineas Taylor Barnum. Le cirque, je vous jure. Et encore, je n'ai rien dit de Simonetta.

Simonetta, voyez-vous, n'aurait pas vu une vache à deux pieds sans ses lunettes. Or, il se trouve que la même Simonetta tenait dur comme fer à être photographiée sans ses fonds de bouteilles, décision qui après tout ne regardait qu'elle-même. Mais — et voilà le hic — le photographe avait convenu avec le troupeau d'une espèce de code fort simple que je résumerai ici en je-lève-la-main-et-vous-arrêtez-netde-gigoter, geste que Simonetta manquait à tous les coups, vu son extrême myopie. Et hop. On recommence tout parce qu' *elle* s'est immobilisée avec un demi-siècle d'avance ou de retard. Et c'est reparti pour les négociations entre Mimmo qui, de toute évidence, n'avait pas encore digéré le chapeau de pêche et Simonetta qui, pour sa part, n'avait jamais rien digéré de sa vie. Vous n'avez pas idée de l'immensité des bêtises que les deux se lancèrent alors par la tête avant d'en arriver au compromis suivant: nous allions tous, avant chaque photo, crier FREEZE à Simonetta et quand je dis FREEZE, je veux dire FREEZE comme quand un policier de Chicago attrape un Noir dans une ruelle. Le choix du terme était une gracieuseté de Lisa qui prit le temps de nous épeler le mot et de préciser le timbre de voix à utiliser, soit l'équivalent d'une 22 tronçonnée. C'est ainsi que Simonetta reçut 350 fois l'ordre de congeler dans les quinze minutes qui suivirent, chose qui la perturba profondément pour le reste de la journée, et, peut-être, le reste de sa vie.

C'est tout pour Simonetta, mis à part bien sûr le fait incontestable que je l'ai trouvée plus tard, assise sur une roche et se mouchant dans un mouchoir qui aurait été une nappe que ç'aurait été pareil. Alors que je m'approchais, elle me dit intégralement: *Mimmo je ne pédalerai jamais plus sur ton truc, tout est foutu maintenant.* On aura compris ici que Simonetta avait prononcé ces mots en français et sans ses lunettes, de là l'erreur d'identité extra évidente entre son cousin et ma personne. Quant à l'histoire de pédaler le truc de Mimmo, j'avoue être dans le noir total. J'aurais évidemment répondu quelque chose, Dieu sait quoi, mais j'aurais répondu à Simonetta si elle avait eu l'excellente idée de rester assise tranquille. Mais bon, je me retourne une seconde et quand je refais le point sur la roche, plus une mouche, plus rien. Disparue la Simonetta.

Mais pour en revenir à l'église, c'est avec quelque chose comme le corps de police de Chicago que je quittai la Madonna della Difesa, cette fois promue au banc avant du raisin puisque Desperado avait insisté pour qu'on traîne derrière deux hommes habillés en blanc, qu'elle nous présenta comme de véritables missionnaires d'Afrique mais qui, de mon point de vue, faisaient plutôt dans la catégorie tueurs à gages, avec tout ce que cela implique de sympathique. D'ailleurs les deux faces de couteau ne m'adressèrent la parole qu'une seule fois au cours du trajet et ce n'était pas exactement pour m'offrir le baptême. Voilà. J'étais, moi, assise en bordure de la route, assistant de loin à l'engueulade du père avec sa pédale d'accélérateur, quand les deux zouaves sortirent du raisin avec le polaroïd Di Bello Sbarba et me demandèrent — vous ne devinerez jamais — de tout enlever sauf les souliers pour une photo souvenir. J'avais d'autres projets dans la vie que celui de la finir avec quatre balles dans la tête, alors j'aurais probablement tout accepté et même plus, si Lisa n'avait pas excessivement bien choisi son moment pour venir m'engueuler comme du poisson pourri parce que j'avais brûlé maximum trois poils de sa cape. Adieu la photo souvenir, bonjour la campagne anti-tabac. Lisa tomba d'un coup sur mes cigarettes qu'elle tenait personnellement responsables de l'incendie de son étole, sermonnant tout le monde — y compris les deux faces de couteau — sur les innombrables catastrophes causées par cette pourriture de tabac qu'elle ne se mettrait dans la bouche que le jour où il lui pousserait douze poumons de plus. Et parlant de poumons, voilà qu'elle se lance dans une description apocalyptique des deux miens qu'elle compare à des boîtes de nuit enfumées, n'interrompant le service de rayons X que pour s'éventer avec la carte routière qu'elle avait religieusement pliée en accordéon, de telle sorte qu'il nous fallut deux siècles pour trouver l'embranchement de la route 11. Une fois la pédale réparée et tout le monde replacé dans le raisin, nous tournâmes deux siècles dans le fourneau. Mais comme je les passai collée sur le père, je n'avais vraiment, mais *vraiment,* aucune objection.

C'est à cause de l'accordéon de Lisa que je me retrouvai tout près de son père, essayant de naviguer avec le torchon de carte routière sur les jambes et lui qui se penche sur moi, suivant de la main droite la ligne de l'autoroute, cherchant la 11 quelque part entre mes genoux.

C'est fou comme on était près l'un de l'autre. Tout en cherchant, on s'était mis à parler des Mets de New York et des champs de blés d'Inde qu'on voyait le long de la route. Cent pour cent de vraies banalités, mais le courant passait et c'était l'essentiel.

On aurait voulu faire la conversation avec les autres qu'on n'aurait pas pu, attendu que Lisa et Desperado dormaient comme des bébés et que, côté tueurs, on n'était pas non plus follement bavard. Le père et moi on continua donc le numéro en duo, mes pieds sur le tableau de bord et les Empire State sous le banc. Et forcément, je lui fis le truc d'ouvrir la radio avec mon pied droit, truc appris de ma chimpanzé de Martha, pour qui les pieds et les mains, c'est du pareil au même. J'avais arrêté sur un poste plutôt yéyé mais comme le père de Lisa n'était pas précisément Sid Vicious, il s'était mis à siffler par-dessus *cette* musique. On se serait dit au comptoir des viandes, mais bon, ça lui plaisait.

Comme ça crevait les yeux que mon histoire de pied lui avait plu. La preuve c'est que, souriant juste ce qu'il fallait, il me demanda un peu plus tard de monter le volume à cause de Mémé qui ronflait derrière. Jamais, mais jamais personne ne m'avait loupé les orteils ainsi, tellement que je lui demandai s'il voulait me les couler dans le bronze, ce à quoi il répondit deux choses: si et quand tu veux. Mais, il ne bronza rien du tout puisque, juste à ce moment, on aperçut les deux flamants de l'enseigne du Sainte-Rose

Lounge, flamants d'ailleurs mieux connus sous le nom des deux tapettes à Dino. C'est dire comme on est subtil dans la région. Je connais le surnom des flamants parce que Dino lui-même, propriétaire du club, m'en informa dès ma descente du raisin, alors que Lisa et son père secouaient Mémé comme un prunier pour la sortir des limbes. Dino, donc, me prit la main alors que j'en étais encore à remettre mes souliers et me présenta fièrement les tapettes comme on aurait présenté la reine d'Angleterre. Je n'allais quand même pas m'évanouir d'émotion pour deux horreurs en plastique. Je fis donc ce que je fais toujours quand je n'ai rien à faire de quelque chose. Je soulevai les épaules devant les deux flamants, émettant un genre de oumpff qui, déjà en 1958, faisait grimper ma mère dans les rideaux. Chose que Dino aurait sûrement fait si je lui avais fourni les tentures mais, faute de matériel, il se contenta de me tourner le dos et me le tourna systématiquement jusqu'à très tard dans la soirée.

Par contre, Lisa et lui, c'était tout à fait *in the pocket*. Vraiment, il fallait les voir trottiner côte à côte, caquetant sur la température et le rose bonbon des flamants et blablabla. Si bien que Lisa colla à Dino jusqu'à l'heure du souper, moment où elle vint me rejoindre aux lavabos des toilettes où je faisais tremper ces choses qui jadis avaient été mes pieds mais qui ressemblaient maintenant à un champ de betteraves. Et c'est en enlevant ses bas bordés de

dentelle blanche que Lisa me posa une question tellement brise-glace que, juste à l'écrire, j'en ai encore le
goût de pleurer. Elle me demanda, assise sur ce que
je lui avais laissé de bord de fenêtre, si la tour de
Pise, à force de pencher et tout, risquait de tomber un
jour sur sa mère. Dino venait juste de lui montrer une
affiche touristique où deux ou trois ploucs américains
photographiaient cette chose pisseuse qui, manifestement, n'était pas foutue de se tenir debout. Et avouez
que Lisa n'avait pas tort. Qui voudrait voir sa mère
trimbaler ses salades près d'un monument construit
comme un lendemain de veille?

Malheureusement pour elle, Lisa ne pouvait plus
mal tomber en *me* demandant de la rassurer sur la
solidité des choses. Il se trouve que, sur mes trente
années de vie, j'ai passé les vingt-neuf dernières à
attendre fatidiquement qu'un Boeing 747 me tombe
sur la tête. C'est dire à quelle vitesse j'ai dû patiner
pour rassurer Lisa, lui inventant des théorèmes de
Pythagore à dormir debout mais qui, tous, prouvaient
irrévocablement que la tour en avait encore pour des
années-lumière à chalouper à droite et à gauche sous
le ciel de Pise. Ce qui me valut deux questions sup-
plémentaires de Lisa à savoir si de un, j'avais fait
géométrie dans une classe de singes, et de deux, si
nous allions rester encore longtemps, les pieds dans
le lavabo, à faire Ponce Pilate. Dans la seconde, je
l'informai gentiment que Pilate s'en était lavé les
mains et non les pieds, objection que Lisa balaya du

revers de la main, prétextant que j'étais aussi tarée en histoire sainte qu'en géométrie.

Nous fîmes donc, et selon les termes de ma voisine, nous fîmes les madames Pilate pendant six ou sept minutes de plus avec, à l'arrière-fond, le bruit de l'eau que Lisa faisait clapoter sur la porcelaine, question de se calmer un peu l'angoisse de la tour penchée. Bien que son exercice de pédalo éclaboussât passablement ma robe, je l'aurais laissée piétiner jusqu'à la fin des temps, juste pour revoir une fois dans ma vie un de ses sourires métalliques. Côté zygomas, on ne pouvait pas dire que Lisa avait fait des excès ces derniers temps, sauf pour Dino avec qui elle n'avait cessé de sourire un peu pour les flamants et *un poco* plus pour son diamant. Car Dino portait l'équivalent du rocher de Gibraltar à l'annulaire gauche, rocher qui était approximativement aussi gros que le poing de Lisa, ou au moins c'est ce qu'elle affirma après la baignade des pieds, soulevant le poing en question dans une pose telle qu'on aurait cru entendre *L'Internationale* par-dessus le renvoi d'eau. Je vendrais bien ma mère pour trouver les mots qui projetteraient sur grand écran la terrible beauté de Lisa, juste là, avec ses pieds nus sur le carrelage et le bras tendu vers le plafond. Bien sûr, il manquait le sourire mais il n'est pas dit qu'on ne puisse être belle et malheureuse. Parce que — à me repasser le film comme ça ce soir — il me semble évident que dans la tôle de sa robe, il y avait une Lisa qui s'ennuyait terriblement de la femme qui l'avait mise au monde. Il était aussi évident que j'avais complètement manqué le train avec mes théorèmes à la con. J'aurais dû lui faire cadeau d'un mensonge qui lui aurait recollé la famille, lui parlant *du* jour où sa mère reviendrait avec trois mille valises remplies de ces horreurs de babioles que Lisa aimait tellement. J'aurais dû, oui, j'aurais dû la prendre dans mes bras et lui inventer des tours de Pise sous des boules de verre et des fontaines de Trevi qui auraient pissé sa saveur préférée de Kool-Aid. Je n'ai vraiment pas été à la hauteur de sa tragédie.

Par contre — et je sens encore ses cheveux de poussin dans ma main — je me souviens parfaitement de l'avoir dépeignée alors qu'elle se rechaussait, lui murmurant qu'à force d'être la princesse de son père, elle finirait bien par être la reine de quelque chose. Parce qu'il faut dire que c'est précisément le terme que le père avait utilisé pour présenter sa fille à notre voisine de table. Il avait dit *voici ma princesse*, remontant le visage de Lisa vers les cent watts de l'ampoule de la très fausse Tiffany. Et baissant les cils qu'elle avait longs comme le pont Champlain, *la* voisine avait plaqué un incroyable baisemain à Lisa, laissant le rouge de ses lèvres sur le blanc des gants de la princesse. Et encore, si elle n'avait eu que ses cils dans le chemin, mais notre voisine laissait aussi traîner ses seins partout et quel que fût l'endroit où on posait les yeux, on attrapait sa superproduction dans le champ de vision. Un spectacle à rendre fou, je vous jure. Mais le père s'accommodait assez bien merci de ce genre de folie.

Moi, par contre, j'en ramais un coup, les cuisses collées sur la cuirette de ma chaise et les pieds qui enflaient plus vite qu'une Ferrari. Et pas une âme à qui parler, au point que je passai la première heure à faire des *tee pee* avec les serviettes de table pendant que le père et la voisine s'enfilaient des verres d'un liquide qui vous aurait décapé l'ameublement au complet.

Je continuai la soirée à marcher dans le sous-bois derrière le Sainte-Rose Lounge, ce qui me calma un peu la jalousie mais m'acheva définitivement les pieds. Alors, imaginez le spectacle. Moi, jalouse comme douze et me baladant sur un lit d'aiguilles de pins avec juste assez de rayons entre les branches pour justifier mes Ray-Ban qui n'étaient pas des Ray-Ban mais un genre de clone taïwanais. Et si les lunettes étaient fausses, mes larmes, elles, étaient tout ce qu'il a de plus vrai. Je pleurais, bêtement, je pleurais. J'aurais voulu garder le père pour moi, enfin pour moi *et* Lisa. On aurait pu se faire un samedi ensemble ou quelque chose. Mais, crac, la voisine sort du plafond et le père n'en a plus que pour elle. C'est en quelques mots l'histoire de ma vie. Tout va o.k. pour moi et crac, Laura Antonelli sort du plafond. À partir de là, il ne me reste plus qu'à me rhabiller les pieds et aller allumer des radios pour un clapier de lapins.

Ce n'est pas que je ne sois pas belle. Seulement, je ne suis pas excessivement belle. Vous voyez. Pas excessivement. Et quand je pleure, je fais encore moins d'excès. Il ne me manque que le vert pour être admise dans la famille des batraciens. De là l'idée des fausses Ray-Ban que je gardais tout au long de mes trente jours dans le désert et une heure dans le sousbois. Puis je tombai sur Simonetta, avec les effets qu'on connaît, la confusion avec Mimmo et tout. Mise à part cette rencontre, je restai absolument seule sur mes aiguilles de pins, passant et repassant de l'ombre au soleil comme on aurait passé sur le dos d'un zèbre. Et qu'est-ce qu'un zèbre? Un cheval en pyjama, évidemment.

Et si je répète cette farce stupide c'est que, beaucoup plus tard dans la soirée, je la raconterai à Lisa sur l'air de *Funiculi Funicula* interprété par l'Orchestre de Macaronis, ceci dit avec toute ma tendresse pour le peuple italien, importé ou non.

C'était après la séance de lavabos et le souper et le limbo, où *la* voisine avait bloqué au premier tour à cause de ses seins qui, de toute façon, ne seraient pas passés sous l'Arc de Triomphe. Lisa m'avait tirée par la main jusqu'aux marches du Sainte-Rose Lounge, me criant — à cause de la musique — qu'elle avait besoin d'un peu de campagne.

J'avoue que, de ce côté-là, on avait déjà fait mieux puisque, géographiquement, on se trouvait à être assises en plein stationnement mais je n'allais quand même pas chercher des poux pour si peu. Lisa et moi, nous prîmes la campagne sur les marches. Et comme on commande une entrée d'huîtres, la fille de l'autre m'a commandé une blague et je lui ai sorti le pyjama du zèbre. Et là Lisa, *ma* Lisa me fit alors son sourire, quincaillerie dentaire et tout. J'enchaînai sur le truc du train pour Chatanooga et les fourmis passèrent, à la queue leu leu, sous la main de Lisa. Ce fut le seul moment où, dans ce club miteux, elle se déganta et le seul où je fus à peu près heureuse.

Évidemment, j'avais toujours le père bloqué dans la gorge. Mais l'être humain étant fondamentalement un gâteau à plusieurs étages, on peut très bien être triste et gai dans la même cuillerée. J'avais donc eu — sous les tapettes à Dino — un étage de bonheur avec Lisa posé sur l'étage de tristesse du père, qui lui-même s'était posé sur le Forêt Noire de ma vie.

J'étais en paix avec Lisa qui, dégantée, avait posé la main sur le ciment des marches et appelait les fourmis comme un fermier appelle ses vaches à la tombée du jour. Fatalement j'avais craqué sur ses mains, comme j'avais craqué au moment où l'orchestre défonçait le mur du son avec sa première chanson. Les Macaronis avaient ouvert avec les *Roses de Picardie* et Lisa, debout derrière la chaise de son père, s'était mise à danser sur place, ses deux mains dans la poche de chemise de l'homme qui l'avait faite. Et lui, il lui caressait la nuque en s'étirant le bras droit, sans même se retourner. Ces deux-là avaient tellement l'amour aveugle qu'ils pouvaient danser de dos et s'aimer en braille.

Après *Picardie*, l'orchestre avait enchaîné direct sur le limbo et les seins de l'autre qui passaient trop bien le test pour passer sous la barre, on connaît le reste. À un détail près, cependant. Juste avant de sortir avec Lisa, il se trouve que je m'étais retournée vers la table du père qui — je le jure — me regardait comme six mois auparavant, dans la cabine téléphonique. Il me regardait *comme ça*, en ligne directe, branché sur moi. Voilà. Le père de Lisa me regardait.

Ce fut d'ailleurs la première et la dernière fois qu'il me regarda dans ce lounge pourri, car après le train pour Chatanooga, Lisa décida qu'il était plus que temps de dormir et choisit le banc arrière du raisin pour faire le lit et mes genoux pour l'oreiller. De toute façon, j'en avais soupé de la noce, j'acceptai de lui faire le coussin, regardant d'en haut son profil impeccable et lui murmurant qu'elle pourrait très bien faire la statue dans un parc. Elle dormait déjà. J'arrêtai net au beau milieu de ma phrase, fixant cette fois ses gants qu'elle avait remis pour dormir et qui eux-mêmes avaient l'air de dormir profondément. Puis, pour passer le temps, je me mis à réciter pour l'étole de lapin *trois petits chats, trois petits chats, trois petits chats, chats, chats, chapeau de paille, chapeau de paille* et ainsi de suite jusqu'au dentifrice où je bloquai net, comme si je venais d'atteindre le bout de l'Univers. Je caressai l'étole pour l'endormir à son tour, regardant par la fenêtre tellement longtemps que tout, absolument tout se mit à ressembler à un ovni. Il faut dire qu'avec le soleil de l'après-midi, j'avais la moitié de la cervelle flambée, et je me mis à dérailler progressivement dans la nuit, ce qui me mena directement à cette expérience très cosmique où je m'apparus avec une crête de coq sur la tête et ce, juste sous le sapin en bordure de la route. Quand une personne relativement normale se met comme ça à halluciner, c'est qu'il est drôlement temps de rentrer. Je mourais d'envie de rentrer. Mais encore fallait-il que quelqu'un, disons quelqu'un comme un père, conduise le raisin. Je l'attendis jusqu'à onze heures et quelque, heure à laquelle il apparut dans la porte avec Dino mais sans Mémé qui, toujours aussi toquée, préférait rentrer à pied. Ce qui lui ferait une marche d'approximativement deux semaines. Mais ce n'était pas mon problème.

Le père s'avançait maintenant vers le camion dans la lumière des flamants allumés, son veston de mafioso dans la main gauche et ses clés dans la droite. Il regarda sa fille par la fenêtre pendant deux lunes pour grimper finalement dans le raisin, me chuchotant — je cite — que je faisais un bordel de bon saint-bernard. Seulement pour l'embêter, je haletai deux cents coups comme un chien mort de soif, puis me collai la joue sur la vitre jusqu'au bout du voyage, attrapant ses yeux dans le rétroviseur comme on attrape un rhume, avec un frisson ou quelque chose comme ça.

Si le père de Lisa me faisait encore frissonner, c'est qu'il était et sera toujours le père de Lisa. Il aurait vendu sa mère pour un poulet que ça n'aurait rien changé. Il m'était *simpatico*. Même après le coup de la voisine, il était encore et toujours *simpatico*. C'était dans des détails. Sa façon de fixer un pneu et de rester planté là pendant un siècle, son sourire chaque fois qu'il regardait sa montre, comme s'il entretenait avec elle des relations particulières, et son corps fait pour remporter le Mundial. Qu'est-ce que je peux dire de plus? Des détails, vraiment des détails. Mais ce qui me faisait vraiment craquer, c'était sa façon de prendre et donner sans demander. Je veux dire que le père de Lisa n'avait jamais appris à monter la voix d'un étage à la fin des phrases, comme quand on pose normalement une question. Une fois stationné devant chez lui, il n'avait pas dit *tu descends*, *point d'interrogation*, il avait dit *tu descends*. Non pas qu'il fut du genre à donner des ordres ou rien. Seulement il ne foutait pas de ponctuation après ses désirs.

J'aurais pu facilement dire non merci. Mais voilà, je pris le veston de mafioso et grimpai jusqu'à l'appartement, suivant le père qui avait la fille dans les bras. En ouvrant la porte de la main gauche, il précisa qu'elle avait pris huit onces au cours de l'année, etc., les enfants poussent tellement vite que bientôt Lisa se ferait monter par quelqu'un d'autre que son père. Et, réalisant l'énormité de ce qu'il

98

venait de dire, il stoppa instantanément et murmura qu'il fallait vraiment être le roi des cons pour faire ce genre d'erreur en français. Puis il ouvrit la porte d'un coup de pied et prit le corridor jusqu'à la chambre de sa fille pendant que je retrouvais les faces de citron dans la cuisine.

Combien de temps je passai à l'attendre, c'est difficile à dire. Peut-être dix ou douze minutes, mais il n'y avait pas urgence. On n'allait pas construire une cathédrale, le père et moi. On allait faire l'amour, et pour ça, il y avait encore largement le temps.

D'ailleurs, du temps, on en passa pas mal sur le balcon à manger du melon d'eau et à cracher les pépins en visant le toit d'une Chrysler que je manquais à tous coups et que le père, lui, attrapait à chaque fois. Parce que j'avais insisté, il s'était mis — tout en continuant à cracher — à réciter une chanson italienne qui parlait d'un homme et de son camion, le premier prenant le deuxième pour aller chercher la femme qu'il aime. Très belle, la chanson. Il n'avait même pas fini la dernière phrase que, déjà, j'avais dit encore. Au lieu d'un rappel, le père m'embrassa trois étoiles, me tenant serrée sur lui et sur le balcon. On venait de passer au chapitre suivant.

Pour ce qui suit, je n'ai plus la mémoire qui roule en 16 images/seconde. Ce serait plutôt des souvenirs immobiles. Une photo sur une photo sur une photo. Et encore, elles ne sont pas forcément dans l'ordre. La preuve, c'est que je suis déjà dans son lit. Je me souviens très bien. Il venait de monter sur moi et pour deux secondes, j'avais eu l'impression que l'univers s'arrêtait pile au-dessus, comme quand on tire une couverture sur sa tête. Le père de Lisa me couvrait. Et je pourrais faire sauter le r et que ça serait encore plus vrai. Il me couvait. Voilà. Couver comme dans faire attention, ne pas me laisser des yeux et surtout, *surtout* ne pas m'écraser la coquille. Il savait faire tout ça, se tenir sur ses coudes une éternité et tout. En plus, il souriait. C'était comme ça avec lui. Je bougeais. Il souriait. J'arrêtais. Il souriait. Je recommençais. Il souriait. À croire que j'étais exceptionnelle.

Même chose pour la cuisine. Je m'étais assise sur le bord du lavabo et tenais l'équilibre comme je pouvais, mes jambes autour de ses reins. Il avait ouvert le robinet et m'avait fait boire dans le creux de sa main, comme si je méritais vraiment tout ça. Comme si j'étais trop, trop spéciale pour me servir d'un verre ou quelque chose.

À force de me faire inonder d'émotions, j'avais fini par déborder et avais dit une phrase, genre tarte, mais qui se voulait la plus tendre et la plus gentille des phrases humaines. Juste comme il me pénétrait pour la première fois, je lui avais dit *fais comme chez toi*. Évidemment, hors contexte, c'est gênant à répéter. Mais bon, la tendresse et le ridicule ont parfois un air de famille. C'est comme ça.

Pour le dernier souvenir, c'est le noir. Le noir absolu. Vous voyez. Juste avant d'éjaculer, il avait placé sa paume droite sur mes yeux ce qui m'avait fait une nuit dans la nuit. Dans ce double whisky d'obscurité, je l'avais senti s'allumer pour de bon, vraiment, le point de non-retour. Il avait besoin de quelque chose de très serré. Il me tenait les jambes entre les siennes, se laissant juste assez d'espace pour entrer et entrer. À la fin, j'aurais pu compter chacun des coups. Parole d'honneur. J'aurais pu les compter.

Pour le laisser se reposer les coudes, je lui avais fait le négatif de la photo, le basculant doucement pour grimper sur lui, frottant un peu ma mâchoire contre la sienne. La journée avait été longue et *dunque*, la barbe avait poussé. Il faudra que je dise au vieux sage qui a proclamé que l'*homo is tristus after coïtus*, que l'homme est surtout fatigué. Nous étions, le père et moi, absolument fatigués, mais puisque je n'allais pas dormir chez lui — *because* Lisa — il avait fallu retrouver les Empire State et le jupon de péripatéticienne et tout le bazar.

Évidemment, on s'était dit des petites choses avant de se laisser. L'heure qu'il était, le temps qu'il faisait, mais rien de rien qui aurait continué l'histoire. L'histoire était finie. On en sortait, lui et moi, de la plus belle des façons. Satisfaits. Bonjour la rue déserte.

5

Je lis les journaux avec dix ans de retard ce qui fait toujours hurler ma soeur Évelyne, elle-même s'étant tricoté un cordon ombilical avec UPI, question d'être la première arrivée à l'abri quand la bombe nous tombera dessus. Je serai donc la dernière à apprendre la mort de cette planète. Comme je fus la dernière à apprendre celle de Lisa.

Elle était morte depuis six jours quand je tombai sur sa photo dans le journal. Au début — Dieu sait pourquoi — j'avais cru qu'elle avait fait quelque chose d'héroïque comme repêcher un chien dans une flaque d'eau. Puis, j'avais lu le titre et le titre disait qu'elle était morte sur le coup, frappée par l'autobus Jean-Talon. J'avais murmuré c'est pas vrai. Pas Lisa. Revoyez vos papiers, les boys. Lisa n'était pas, mais

pas du tout le genre à se faire frapper par les autobus. Impossible. Pas morte, Lisa.

Je restais là à m'obstiner comme une mule avec
mon journal, mais il faut me comprendre. Je ne pouvais pas ouvrir comme ça le tiroir des horreurs. On
ne peut pas avaler la mort d'un seul coup. D'abord,
on dit non, puis l'idée fait son chemin et on admet que
c'est peut-être vrai, jusqu'à ce que tout se déchire et
qu'on comprenne.

Pour moi, ça s'était passé comme ça. Juste après
le journal, je suis allée prendre un bain, faisant
encore comme si je n'avais rien lu, rien vu. Puis
quelque chose d'insupportable m'est passé par la tête.
Si Lisa avait effectivement eu un accident et si, par
hasard, elle était tombée sur la bouche, son appareil
dentaire lui avait probablement déchiré les lèvres.
C'est idiot parce que, défoncée par un autobus, elle
devait forcément avoir souffert de partout. Mais pour
moi c'était ses lèvres qui faisaient le plus mal, accro-
chées dans ses barbelés, et le sang qu'elle avait peut-
être craché dans la neige. Cette image était tellement
horrible que je m'étais foutu la tête dans l'eau et
j'avais pleuré tout ce que je pouvais, frappant et frappant le bord du bain avec mes pieds, à bout de tout
mais surtout d'arguments. Lisa était morte, pas strictement dans mon journal. Lisa était morte aussi dans
la rue.

Bon Dieu, qu'est-ce qui lui avait pris? Comment
avait-elle pu se tromper comme ça, en traversant une

rue? Lisa qui aurait entendu une mouche à trois milles et qui n'avait pas entendu l'autobus qui lui fonçait dessus. Drôlement triste. Et son père? Est-ce qu'il avait au moins survécu, son père? Et comment avait-il appris? Deux policiers à la porte, la casquette à la main et tout.

Rendue là, je me plaquai les mains sur les yeux pour stopper les images, accrochée à une seule chose, une seule idée. J'irai le voir. J'irai et je lui doublerai qui il veut, sa femme ou sa fille. Ça sera comme il veut, l'une ou l'autre. Je pouvais faire les deux.

Il était à peu près cinq heures du soir et je le trouvai sur le trottoir, juste en face de chez lui. Il trafiquait Dieu sait quoi sur la porte du raisin et ne s'était même pas arrêté pour me résumer l'essentiel. L'enterrement avait eu lieu il y a trois jours. Sa femme était venue et repartie. La serrure du camion était gelée. Et qu'est-ce que je voulais faire maintenant? J'avais dit ce que tu veux. Il avait dit marcher.

On marcha donc vers Saint-Zotique avec tellement rien à dire qu'on en faisait pitié. J'avais beau essayer de sortir quelque chose — n'importe quoi — je restais bloquée. Bravo pour la consolation. Mais, il marchait et tant qu'il marcherait, je marcherais.

Puis on aboutit au comptoir d'un Woolworth, pour un café et un chocolat chaud. Avec la subtilité de l'éclairage, sa détresse était plus évidente. C'en était difficile de le regarder en face. Mais j'avais quand même réussi à lui bafouiller quelque chose sur la fatalité. En retour, il m'avait fait un genre de confidence. Depuis l'accident, il se posait une question et une seule. Est-ce que Lisa avait eu le temps d'avoir mal? Parce qu'il y a mourir sur le coup et mourir sur le coup. Et si sa fille avait souffert, seulement trente secondes, c'était trop. Après le trop, ajoutez ce que vous voulez, parce que, lui, il n'avait pas pu. Il était tellement à deux doigts de pleurer qu'il s'était mis à fixer les photos du menu, passant du club sandwich au hamburger comme s'il y avait là un canot de sauvetage. Et moi, pour l'aider, j'avais dit très vite qu'avec la tête qu'il avait il se trouverait fatalement une femme qui lui ferait une fille qui ne serait pas Lisa, mais qui braillerait quand même comme un vrai bébé. J'avais répété, le déterrant du menu et gardant ses mâchoires entre mes mains, j'avais répété *faisen une autre*. Évidemment qu'il n'était pas moins triste après. Seulement, il avait dit j'ai faim. Et c'était ça de pris. Je veux dire que sans manger, on ne survit pas follement longtemps. Le père de Lisa allait survivre.

Il avait mangé des oeufs, sans parler, mais en insistant pour que je le fasse. J'avais donc improvisé, racontant n'importe quoi au sujet de Martha qui s'ennuyait tellement l'hiver malgré les crayons de cire que je lui avais achetés et le xylophone et tout. Les yeux dans son assiette, il avait alors indiqué que je pouvais toujours essayer la danse sociale, comme la rumba ou quelque chose.

Il n'avait rien oublié. Le père de Lisa n'avait *absolument* rien oublié. Seulement pour ça, je voulus lui embrasser le poignet. En fait, j'attrapai plutôt sa montre sur les dents, mais, sa montre ou lui, c'était presque pareil.

On se quitta à la porte du Woolworth parce que Mimmo l'attendait et qu'il était déjà très très en retard. On s'était promis de se rappeler. Plus exactement, j'avais promis. Lui, il avait seulement soulevé les épaules, tapant dans le banc de neige en face.

*   *   *

Je ne l'ai jamais rappelé, allez savoir pourquoi. Mais j'espère sincèrement que sa normalité d'homme va bien. J'espère aussi qu'elle lui a fait une fille. Depuis le temps.

Pour Lisa. Et bien pour Lisa, j'espère qu'elle est au ciel même si je n'ai absolument aucune idée où il se trouve. Mais bon, je ne sais pas non plus où est Chatanooga. C'est comme ça. Le ciel et Chatanooga. Vraiment, pour moi, ça restera toujours deux mystères.

Achevé   Imprimerie
d'imprimer Gagné Ltée
au Canada Louiseville